TAKE
SHOBO

甘い誤算

特異体質の御曹司は運命のつがいを本能で愛す

涼暮つき

ILLUSTRATION
天路ゆうつづ

JN018874

蜜夢
MITSU
YUME

CONTENTS

MITSU YUME

イラスト／天路ゆうつづ

甘い誤算

特異体質の御曹司は運命のつがいを本能で愛す

1

「――というわけで、藍沢《あいざわ》さんの契約の更新は今回ナシってことで。いろいろ厳しいご時世だしね。とにかく上の決定だから、僕がどうこうできるものでもないんだよね。本当、悪く思わないでね」

そう言って逃げるように席を立つ人事の担当を藍沢夏南《かな》は「ち……ちょっと、待ってください！」と慌てて呼び止めた。

「待ってください。契約更新してもらえない理由をちゃんと教えてください！　そんな曖昧な理由じゃ納得できません！」

夏南の言葉に振り返った人事担当の男が、面倒臭そうな表情を隠すことなく息を吐いた。普段はにこやかで人当たりのいい印象のこの男がこういった表情を見せるのを初めて見たような気がする。

「だからさっきも言ったでしょう、勤務体系等の理由だって」

「それだけじゃ……」

その〝勤務体系等〟の理由について具体的に知りたいのだ。

そんな夏南の表情を見て、人事担当の男が言いにくそうにしながらも渋々言葉を続けた。

「じゃあ……はっきり言うけど。藍沢さん、オメガ〈Ω〉だからどうしても欠勤多くなるでしょう。月の四分の一出勤できないってさ……そりゃ属性の体質的なことだから仕方ないのかもしれないけどね。同じように働いてもらうなら、欠勤のない子を優先して採用したいって思うのは会社側として当然っていうかね……」

「でも！　そういう属性差別は法律で禁止されているはずで……」

「確かにね。でも、実際そうもいかないの。とにかく、もう決定したことだから悪いね。藍沢さんも年頃なんだからさ、この際仕事探すより結婚相手でも探したらいいんじゃない？」

そう言い捨てると、男はあっという間に小会議室を出て行った。

静まり返った部屋に一人取り残された夏南は、力なく椅子に腰を落とした。

梅雨時特有のじめじめとした天気の続く六月下旬。昼休みに契約のことで話があると呼び出され、ちょうど契約更新の時期だと思っていたところへまさかの打ち切りの話だ。

「また、クビ……」

夏南は大きく息を吐き、天井を見上げながら呟《つぶや》いた。悔しさとやるせなさで目尻にうっすらと涙が滲《にじ》んだのを、慌てて指で拭って唇を噛《か》んだ。

仕事をクビになるのはこれが初めてではない。

夏南がこれまでいくつもの会社を転々とせざるを得なかったのには決定的かつ、一生逃れることのできない理由があるのだ。

男女の性の他にも存在する『アルファ〈α〉』、『ベータ〈β〉』、『オメガ〈Ω〉』という三つの属性。

一般的な人口比率として、ベータは最も多い性で全人口の七割を占め、社会的階級の中間層にあたる。

アルファは全人口の二割程度と数が少なく、優秀でリーダー的な素質を持つため社会でも当然高い地位を持つ。

オメガはさらに全人口の一割程度と希少で、社会的階級は最下層。階級制度による差別を受けることも少なくない。

夏南はこの差別対象であるオメガ属性を持っている。

「どうしよ……」

夏南は再び大きく溜息《ためいき》をついて、よろよろと立ち上がった。

夏南がいまの職場に勤めている期間は約一年。これまで長くて一年程度、早ければ数カ月と長くもった試しはない。

悔しさで唇を噛み、涙をこらえるのはこれで何度目になるだろう。

オメガ属性の人間が社会的差別を受けるのにはそれなりの理由がある。

その最大の特徴は男女どちらの性を持つ者も妊娠が可能だということだ。つまり、オメガの属性を持つ者は女性だけでなく男性も『産む性』として特化しており、発情期というものが存在する。

また発情期のオメガは、アルファ、ベータを問わず他の属性を興奮させる〝誘発フェロモン〟を発し、本人の意思とは関係なくその相手を惹《ひ》きつけてしまうという特徴を持つ。

発情期の期間中、オメガはひたすら発情を繰り返し、他のことが手につかなくなる。

そのため症状の重い者は仕事を休まなければならず、社会的に疎まれる存在となることも多い。

何年か前に施行された『男女属性雇用均等法』により、オメガの発情期を理由に不当に職を解雇したりすることは禁じられたが、それはあくまでも表向き。夏南のように職を失うオメガは少なくないのが現状だ。

「また、新しい仕事探さなきゃ……」

夏南はそう呟いて気持ちを奮い立たせるために両手で頬を叩《たた》いた。

度重なるクビ宣告に、正直心が折れそうになる。どんな職に就いても、発情期の欠勤で職場に迷惑を掛けてしまうことは紛れもない事実で、せめてその穴埋めのつもりで通常期に他の仕事を進んで買って出たりもしているが、その程度では周りが納得しないのもやはり事実である。

小会議室を出ると、終業時刻をとうに過ぎたオフィスはすでに人もまばらだった。

夏南もそのまま更衣室に向かい、帰り支度をしているところへバッグの中のスマホが鳴った。電話の主は、夏南の兄の冬也《とうや》だ。

『あ、夏南か……?』

電話の向こうから聞こえる少し上擦った熱っぽい兄の声に、夏南は今が月の下旬であることを思い出し訊《たず》ねた。

「お兄ちゃん? もしかして、もう……」

『……ああ、今回ちょっと早かった』

苦しそうな冬也の声色から、始まった発情で体調が思わしくないのが窺《うかが》える。

「今日、智樹《ともき》さんは?」

『三日前から上海。帰って来るの五日後……』

「分かった。いま仕事終わったからこのままそっち向かうね」

夏南の兄の冬也もオメガ属性だ。

二年前、ちょうど今の夏南と同じ歳にアルファ属性の智樹と出会い、互いに強く惹かれ合い男性同士で婚姻関係を結んだ。こうした同性同士の婚姻も男性の妊娠が可能であるこの世では決して珍しくはない。

夏南は身支度を整えると更衣室を出てエレベーターに乗り込んだ。そこに仕事を終えたばかりの数人の男性社員が乗り込んで来て、夏南は思わずエレベーターの隅に身体を寄せて息を殺した。

――発情期じゃないんだから大丈夫。エレベーターが下に着くまでの間だけ。

そう心の中で呟いて、ざわつく心を落ち着ける。

エレベーターが一階に到着して、男性たちが一斉に出て行くのを確認すると、夏南は小さく安堵《あんど》の息を吐いた。


夏南が初めての発情期を迎えたのは十五の時だった。

思春期を迎えたオメガが身体の成熟と共に他の属性に対して発情を誘うフェロモンを発するようになることで、月に一度、およそ一週間続く。

高校生の頃、学校の図書室で同級生の男子に襲われそうになったことがあった。発情期の前兆のようなものはあったが、本を借りたらすぐに帰るつもりでいたし、抑制剤も飲んでいた。周囲に誰もいないと思っていたことから少し油断していたのかもしれない。背後から忍び寄って来た同級生にいきなり身体を押さえつけられ、制服を無理矢理引き裂かれた。恐怖に身体がすくんでいたが、どうにかして逃れたい一心で必死に声を上げたところを、施錠にやって来た教師に発見され未遂に終わった。似たような経験は一度や二度ではない。

フェロモンに関係するトラブルはオメガに生まれた以上完全に避けられるものではなく、そういった出来事は夏南に男性に対する恐怖心を抱かせるに充分な経験であった。

そのせいで男性と一度も付き合った経験もないまま、夏南はもうすぐ二十七歳の誕生日を迎える。

兄の冬也が住んでいるのは、夏南の職場から車で十五分ほどの繁華街。駅からほど近い、いわゆる富裕層が暮らす高級タワーマンションの一室だ。冬也のパートナーである泉川《いずみかわ》智樹はこの辺りでは名の知れた不動産会社社長の息子である。

「悪かったな、わざわざ……」

そう言って玄関で夏南を出迎えてくれた冬也の顔は上気し、発情が始まっているのが明らかだった。発情の症状には個人差があり、一般的に発熱、倦怠感《けんたいかん》とともに性欲が増す。その症状を抑える抑制剤や即効性のある特効薬なども存在するが、効き目もまた人それぞれだ。

夏南は冬也を寝室へ促し、ベッドへ横たえると上からそっと布団を掛けた。

「症状、酷いみたいだね。薬は？」

「さっき、打った……けど智樹いないときに限ってこんな……」

「うん」

発情の症状を緩和するには、パートナーとの性行為が一番だが、それが叶《かな》わぬ場合は薬で緩和するのが唯一の方法だ。期間中は何も手に付かず、ひたすら耐えるしかない。その壮絶な苦しみは夏南も身をもって知っている。

パートナーである智樹がいないときには、身の回りのことさえ手に付かなくなってしまう冬也のために、これまでも夏南が身の回りの世話に来ていた。夏南の発情期には冬也が、という具合に七年前に両親を事故で亡くした兄妹は、他に頼るべき親類もなく、助け合いながら生きている。

「何か、口に入れるもの用意するね。薬が効いてるうちに少しでも食べないと」

「ああ。ありがとう」

夏南が用意した口当たりのいい食事を食べ終えた冬也はそのまますぐ眠りにつき、目を覚ましてリビングにやって来たのはそれから一時間ほど経った頃だった。

「目が覚めた？　具合は？」

「薬が効いているのか、だいぶいいよ。夏南こそどうした？　元気がないように見えるけど……」

冬也の言葉に、夏南はそんなことないと小さく笑って誤魔化したが、察しのいい兄には通じなかったようだ。

「何か、あったんだろ？　おまえ、心配事が全部顔に出るもんな」

まるで見透かすような冬也の言葉に夏南は少し躊躇《ためら》いながらも、諦めて口を開いた。

「会社ね――またクビになっちゃったんだ」

「また⁉　理由は⁉」

夏南が曖昧に笑うと、冬也は全てを察したようにそっと夏南の頭を撫《な》でた。

「そっか……またか」

「うん」

夏南がいつも同じ理由で職場を追われるように、冬也もまた同じ理由で職を転々としてきた。お互いの気持ちは痛いほど分かっている。

「仕方ないって……分かってるけど。悔しい、やっぱり」

夏南の言葉に冬也も「そうだな」と頷《うなず》いた。

属性が理由で職を解かれたり、発情期に苛まれたり、オメガであることに生きにくさを感じているのは夏南だけではない。きっと世の中のオメガ属性の人間は皆同じようなことを感じているのだろうが、その差別も性的特徴もどうにも変えられないのが現状だ。

冬也が夏南の様子を窺いながら、少し言いにくそうに言葉を続けた。

「夏南もさ、この際割り切って『番《つがい》』を見つけようって気にはならないのか？」

「……それは」

「これまで何度仕事を見つけたって結果は同じだったろ？　オメガが誰にも頼らず一人で生きるのが困難なことくらい夏南だって分かっているじゃないか。誰か相手を見つけて結婚するのはどうだ？　そうすれば少なくとも生活には不自由しなくなる」

まともな職に就けないオメガが一人で生きていくのは確かに困難な事だ。冬也だって、初めからそんな考えを持っていたわけではないのは夏南も知っている。

度重なる挫折感に圧し潰されそうになった時、偶然今のパートナーである智樹と出会い、結婚を決めたのだ。

アルファとオメガの間には『番』と呼ばれる特殊な関係がある。

番は本能的なものであり、恋愛や結婚による繋《つな》がりより更に強いものとされている。番を持ったオメガにとっての大きな変化は、そのフェロモンの作用が番となったアルファ以外に影響を及ぼすことがなくなるということだ。つまり、発情期に不特定多数の他属性を惹きけることがなくなるという大きなメリットがある。

　冬也と智樹は結婚のパートナーであると同時に番の関係にある。

「お兄ちゃんみたいに、そんなにタイミングよく運命の人と出会えないよ、普通は」

「まぁ……番でなくても、せめておまえを養える程度の経済力を持つ相手と結婚すればいいだろう？」

「だから、そんなに簡単じゃないよ」

　冬也の言葉は尤《もっと》もだが、男性不信であるうえに、これまで誰とも交際経験のない夏南にとってそれは簡単なことではない。

「見合いでもするか？　智樹に誰か紹介してもらえるよう頼もうか」

「……いい」

「どうして？」

　冬也の言うことは分かるが、本当は夏南だってごく普通に恋愛をしてみたい。

　誰かに決められた相手ではなく、やはり自分が心から好きになった人と結ばれたいと思う。

「大丈夫！　仕事もすぐ見つけるし、結婚相手だってそのうち自分で見つける！」

なんの根拠も自信もないが、夏南がそう言って胸を張ると冬也が少し困ったように微笑んだ。

「夏南……心配してるんだぞ、俺は」

「分かってる。大丈夫だから！」

「前にも言ったけど、ここに一緒に住んでも構わないんだからな」

「うん。ありがとう。気持ちだけで嬉《うれ》しいから」

冬也と智樹の結婚が決まった時、夏南を心配した智樹からそういった提案があった。

冬也が属性差別によって苦労してきたことを知っている智樹が、同じ属性を持つ夏南の身を案じてのことだったが、夏南はそれを断っていた。

夏南のことを心から心配してくれる智樹の気持ちはもちろんありがたい。それでも、兄のパートナーにそこまで甘えるのもやはり申し訳ないという気持ちが大きかった。

「これまでだって何とかなったんだし」

尚も心配そうに表情を曇らせたままの冬也に、夏南は努めて明るく言った。

もう子供じゃない。自分の人生は自分でどうにかしなければ――。

＊　＊　＊

「現実は厳しいなぁ……」

そう呟いて求人情報誌を指先でめくりながら夏南は大きな溜息をついた。

契約が切れるまであと半月。どうにかして次の就職先を——と躍起になっているが、これまで十社ほど面接を受けて結果はすべて惨敗だ。

大きなシャンデリアが吊《つ》り下げられたホテルのロビーは三階までが吹き抜けになっていて、下のフロアを行き交う利用客の賑《にぎ》やかな声が聞こえてくる。

ふと顔を上げると、夏南の目の前をリクルートスーツ姿の若い女性が横切って行った。奥の小宴会場では、このホテルの就職の面接が行われている。

夏南もたったいま面接を受けて来たところだが、反応は微妙であった。

応募の履歴書には当然性別や属性を記入する箇所があり、無駄に増えていく職歴欄を見た面接官たちが、互いに目配せをするのは夏南にとってすでに見慣れた光景となっていた。

「あと二週間で契約切れちゃうのに……」

気持ちばかりが焦り、つい空回りしてしまう。

面接を終えたばかりのホテルで廊下の長椅子に座り、スーツ姿のまま求人誌をめくる自分の姿が窓ガラスに映っているのにはっとして夏南はそこから立ち上がった。

立ち上がった瞬間身体がふらりと揺れて、慌てて長椅子の肘に手をついた。

「……っと」

そういえば、もう月の半ばを過ぎている。

夏南はある予感に胸をざわつかせたまま、化粧室を探した。

——こんなところで倒れたりできない。

かすかな身体の変調は、発情の兆しだ。こんな場所で発情が本格化し、フェロモンをまき散らすようなことは避けなければならない。

幸いこのフロアにはいま面接のほかに使われている部屋はないようで、人気《ひとけ》はない。夏南はようやく化粧室を探し出し、バッグの中から注射タイプの特効薬を取り出した。それから慣れた手つきで特効薬を腕に打った。

発情に対して数分で効き目が出る注射タイプの特効薬は、効きが早い分、頭痛、吐き気、眩暈《めまい》などの副作用が強く出るのが厄介な点だ。

「……でもどうしよう、こんなとこで」

特効薬を打ったものの、ここから夏南の住むアパートまでは車で二十分以上はかかる。バスのように人の多い乗り物はもちろん危険であるし、タクシーも安全とは言い切れない。外出中に発情が始まってしまうことはオメガにとって極めて危険な状態といえる。

薬が少し効いてきたのか、発情の症状は誤魔化せる程度に落ち着いてきたが、酷い頭痛に頭がくらくらする。それでもどうにかして家に帰らなくてはならない。

夏南はゆっくりと化粧室を出て、エレベーターを探した。ふらふらする身体をなんとか動かして歩き出したものの、エレベーターまであと数メートルというところで、視界がぐるりと回り、そのまま目の前が真っ暗になった。

＊　＊　＊

ゆっくりと目を開けると、真っ先に視界に入ったのは全く見覚えのない部屋の天井だった。

身体を包む柔らかで心地よい感触に、うっかり再び目を閉じてしまいそうになった夏南は無理矢理目を見開き慌ててベッドから飛び起きた。

「ここ……」

どこ、と口に出すより先にぐるりと見渡した景色に、夏南は自分がどこにいるのか想像がついた。

豪華な装飾の施された部屋に、見るからに上等な応接セットと大きなベッド。

ホテルの一室なのだろうということは分かるが、何がどうなって自分がこんなところにいるのか。

辺りはすっかり暗くなっていて、外のビルの明かりが窓越しに映っている。暖色のナイトランプで照らされた室内は特別な部屋なのか、一般的な客室と比べてとても広く高級感に溢《あふ》れている。

「……熱い」

身体に色濃く表れている発情の症状に夏南は大きく息を吐いた。

——そうだ。

このホテルの面接を受けた帰りに発情の兆しが現れて特効薬を打ったところまでは覚えているが、問題はそのあとだ。

夏南は布団をめくり、自分の身なりを確認した。ジャケットは脱がされているが、白いシャツと紺色のスカートの着衣に乱れはない。倒れたときのまま誰かがこの部屋まで運んでくれたのだろう。

一体、誰が――？

「そんなことより、早く帰らなきゃ……」

ベッドから降りようとしたその時、ふいにドアが開いて、夏南は身体を起こしたまま再び布団にくるまった。

「目が覚めたのか？」

聞こえた低い男の声に、夏南は身体を固くした。

再び発情の症状が出ているということは、何時間か前に打った特効薬の効き目が切れているということ。この状態では、オメガのフェロモンによって他の属性を惹きつけてしまう可能性がある。

「こ、こっちに来ないで……！」

夏南の声に、ドアのところに立つ男が夏南を窺う気配がした。

ドアの向こうが明るいため、男の姿は逆光になったシルエットでしか確認できない。

男が黙ったままゆっくりとこちらに近づいて来る。夏南はますます身体を固くし、出来る限り布団を身体に巻きつけ、呼吸ができるよう頭だけをそこから出した。

「来ないで！　お願い……」

夏南の声を無視して男がゆっくりと近づいてきた。

「大丈夫だ。僕はアルファだが、オメガフェロモンに反応しない特異体質だ」

男はそう言うと、夏南の傍にやってきて微笑んだ。

かなり若く見えるが、二十代というには落ち着いた空気を纏《まと》っている。三十を少し超えたところだろうか。

背が高く、上質なグレーのスーツに身を包んだその男は、一言で言うととても美しい男だった。

日本人でありながら、どこか異国の血を感じさせる彫りの深い端正な顔。髪はやや明るい茶色で、暖色系の明かりの下でオレンジ色に輝いている。

「きみが倒れているのを発見してここまで運んだのは僕だ。発情中のオメガが倒れているなんて危険極まりないからね」

男の声は、とても柔らかで落ち着いていた。

にわかには信じがたいが、フェロモンに反応しないという男の言葉は本当かもしれない、と夏南は思った。夏南の知る限り、その男の様子が発情を誘発されているようには決して見えなかったからだ。

しかし、夏南のほうは違っていた。

この男が美しいからなのか、ただそういうことに慣れていないからなのか。見つめられるだけで鼓動が速くなり、呼吸をするのさえ息苦しいと感じる。

「薬が切れているんだな。特効薬は？」

「もう使ってしまって持ってないんです……だからお願い、これ以上近寄らないで……」

特効薬はさっき使ったのが最後の一つだ。抑制剤は所持しているが、効き目が表れるまでには時間が掛かり過ぎる。

——熱い。

息が上がり、頭がくらくらする。発情は嫌だ。理性が遠のいて身体の熱を鎮めることしか考えられなくなる。

「きみ、パートナーは？」

「え……？」

「家に帰れば、それを鎮めてくれるパートナーはいるのか、と聞いているんだ」

そう男に訊《き》かれて、夏南は恥ずかしさを感じながら首を振った。

特定のパートナーどころかこの歳まで男性経験もない。発情期には薬に頼り切り、ひたすら時期が過ぎ去るのを待つ他に術を知らない。

「特定のパートナーがいないのなら、いまここで僕がきみの相手になるという手もある。僕はフェロモンの影響は受けないが、女性を抱くことはできる」

男の言葉に夏南は目を見開いた。

「な……」

「そんな身体では一人で家に帰るのも難しいだろうし、帰れたとしてもどのみち一人なのだろう？　熱を持て余した身体をどうするつもりだ？　一度でも達しておけば少しは楽になれるだろう」

「何……言ってるんですか。む、無理です！」

たった今初めて顔を合わせた男に自分の身を任せることなど出来るはずがない。

いくら発情を鎮めるためとはいえ、何者かも分からない相手と、まるで行きずりのような行為ができていたら、この歳になるまで一人で身体を持て余してなどいない。

「少しでもきみの身体が楽になればと思ったんだ。決まったパートナーがいないのなら、悪い話じゃないと思うが」

「あなたにとっては簡単なことでも、私にとっては……っ」

「簡単じゃない？　そうかな？　発情中のオメガに理性など存在するのか？」

確かに耐えがたいほどの欲情に襲われている。身体が熱くて、酷く疼《うず》いている。本能が最優先されるこの発情期に、これまでなんとか薬だけで耐え抜いてきたのだ。

どんなに苦しくても辛くても、愛のない性行為など夏南にはやはり考えられなかった。

「そんなオメガばかりじゃない……」

夏南の言葉に、男が眉を上げてから小さく息を吐いた。

「――分かったよ。一度関わっておいてこのまま放り出すわけにもいかない。家まで送るから、とりあえずそこから出るといい」

言葉はどこか素っ気なく、夏南の相手になるという提案には驚かされはしたが、男が根底から悪い人間ではないということだけはなんとなく伝わって来る。

夏南をこの部屋まで運んで介抱してくれたこともそうだが、ここで夏南を放り出すこともできるのに、最後まで面倒を見てくれようとしている。

夏南がようやく布団を横に避け、寝乱れた服を軽く整え靴を履くと、男がこちらに手を伸ばして夏南の身体を支えた。

その瞬間、男に触れられたところが一気に熱を持ち、まるで電気が走ったかのようにピリと痺《しび》れた。

──何⁉

そう感じたのは夏南だけではなかったようで、男もその感覚に驚いたように夏南を見つめている。

「なるほど。きみはかなり強いフェロモンの持ち主のようだな」

「え……？」

「さっきまで布団で身体を覆っていたから気付かなかったが、空気に触れるとその濃度が増すのか、きみのフェロモンはとても甘く濃密な香りがする。思わず誘われてしまいそうだ……」

男の思いがけない言葉に夏南は思わず彼を突き飛ばし、その反動でバランスを崩し床に倒れ込んだ。

「危ない。怪我でもしたらどうする？」

体勢を崩した夏南は男に差し出された手を思いきり振り払った。

――やっぱり特異体質なんて嘘《うそ》なんだ！

先程までの態度が演技だとは信じがたいが、アルファがフェロモンに反応して豹変《ひょうへん》するのはよくあることだ。

「あ、あなた！　さっき、フェロモンには反応しないって……」

「嘘はついてない。何度かオメガの女を抱いたことはあるが、フェロモンによって僕自身が発情したことは一度もない」

「でも……今！」

「これまではこれまで。人生で初めてのケースということもあるだろう？　きみも僕に触れられて何か感じなかった？　さっき驚いたように僕を見ていたね」

「それはっ……」

男が夏南を真っ直ぐに見つめている。近くで見れば見るほど、その目鼻立ちの造形は美しく整い、まるで彫刻のようだ。

男が夏南の傍らに跪《ひざまず》いて、夏南の唇に優しく指で触れた。

「――っ」

小さく身体が反応したのは、さっき触れられたときと同じようにまた痺れが走ったからだ。男も同じだったのか一度指先を離して少し驚いたように自分の指を見つめてから、再び夏南の唇に指で触れた。

「大丈夫だ。怖くない」

「ちょっ……」

「……驚いたな。こんなことは初めてだ」

そう言った男が、先程までとは違う熱を持った目で夏南を見つめた。

黒いと思っていた瞳はよく見ると海のような碧色《あおいろ》をしていて、その美しい碧さに吸い込まれそうになる。

男がゆっくりと顔を近づけ夏南の耳元で囁《ささや》いた。

「生まれて初めて発情しているのかもしれない。僕は今、どうしてもきみを抱きたくて仕方なくなっている……」

男はそう言い終わると、少し身体を引いてから柔らかく微笑んで夏南の唇を塞いだ。

その瞬間、触れた唇から全身に痺れが広がる。

「……んっ、ふ」

それは夏南にとって初めてのキスだった。しかも相手のことは名前さえ知らない。

これまで生きて来た中で培われた常識とか倫理観の類が脳裏を掠《かす》め、頭では抵抗しなければと思っているのに身体が全くいうことをきかない。

でも嫌だという感覚はなかった。

最初は優しく触れて、それから探るように触れて。夏南の反応をみながら口内を舐《な》めて、甘く溶かしていく。

舌を捉えられ、含まれ、自分でもわけがわからなくなるくらいキスに溺れてしまっていることに夏南自身が戸惑っていた。

「……もう、やめ……」

抗いたいのに抗えない。このある種暴力的なほどの激しい発情。やめて欲しいという言葉とは裏腹に彼のシャツの胸元を摑《つか》む手に力が入る。

これまで誰とも交わることなく、一人でその発情の苦しみに耐えるだけだった夏南にとって初めて他人の手によって与えられる大きな快楽。

――気持ち、いい。

一度そのよさを知ってしまったら、それを上回る快楽をもっともっとと求めてしまう。

こんな感覚を夏南は知らなかった。

「やめてって顔じゃないだろう？　それだけじゃ足りないって顔だ」

男の手が夏南のシャツの上から胸の頂に触れた。ほんの一瞬触れただけで、その触れられたところが熱を持ち、服の上からではもどかしく、直接触れて欲しくなる。

それまで冷静に見えていた男の息も次第に上がり、その息遣いから彼自身の欲情も伝わって来た。

「……凄い強い香りだ。頭がくらくらするよ」

男の手が夏南のシャツのボタンを外し、ブラを剝ぎ取ると、胸の先端に触れた。その刺激に思わず身体が跳ねると、男がその反応を楽しむように夏南の胸を指で転がして弄ぶ。

そっと撫でるように、それから指で弾くように、最後は指先で強く摘まれ「あ…っ」という短い悲鳴と共に身体を仰け反らせた。

そのまま勢いよくベッドに押し倒され、両胸をさんざん揉《も》みしだかれたあと、男の熱い舌によって執拗《しつよう》に先端を舐められると、言いようのない快感が夏南の身体中を駆け抜けた。

「あ……んっ、ふ」

「ここが感じるのか？　もっと気持ちよくなりたいなら、どこをどうするといいか教えて」

「そんなの……分からな……っ」

どこが、なんて夏南に分かるわけがない。何もかも初めての感覚だ。

どこもかしこもこの男が触れるところ全てが敏感になり、触れられたところからたちまち蕩《とろ》けてしまいそうなのだ。

「このぶんじゃ、ここも凄いことになっていそうだな」

男の手がそっと夏南の足に触れ、履いていたスカートを上へとたくし上げた。腿《もも》がひやりと空気に触れたと同時に、下着の上から夏南の身体の一番熱いところを指で探り当てる。

「……待っ、そんなところ触っちゃ……あ」

布越しでもはっきりと湿り気が分かるほどの自らの欲情の証。さらに下着の隙間から滑り込んだ男の指は、夏南の潤んだ場所をそっと刺激した。

「思った通りだ。驚くほどの熱を持っている。きみの愛液が溢れ過ぎて、見てごらん？　ほら、僕の指までトロトロだ……」

男がぬらりと光る指先を夏南の目の前に差し出した。自分の欲情の証を目の前でまざまざと見せつけられた夏南は、あまりの羞恥に男から顔を背けた。

「下着までこんなに濡《ぬ》れてたら気持ちが悪いだろう」

男がそう言いながら夏南の下着を指先に引っかけるようにして器用に剝ぎ取った。

「……や、ぁ」

自分でも信じられないほどの痴態をこの男の前で晒《さら》していることに気付いてはいるが、いまの夏南には言葉で抵抗するのが精一杯だった。

「本当に嫌なのか？　僕には触って欲しいってねだってるように見える」

夏南にもはっきりと分かる、自分の身体の中心が燃えそうなほどに強い熱を持っているということが。

身体が疼いて疼いて仕方がない。どうにかして欲しい——そう訴えるように男を見つめると、彼が堪らないというような表情を浮かべて夏南の中に指を沈めた。

男の指先が、探るように少しずつ動く。

「ひ、ぁあ……んっ」

「滑りはいいが、中はきついな。ひょっとして男性経験は少ないのか」

夏南は思わず目をギュッと閉じた。

経験が少ないどころか、こんなふうに中に触れられるのも初めてだ。それに気付いているのかいないのか、探るように動く彼の指に夏南の身体は意思とは関係なくピクピクと反応する。

「……ん、ダメっ。動かしちゃ……ぁ」

「気持ちいいのか？　また溢れて来た」

身体が焦れる――この溢れる熱をどうにかしたくて、でもどうしていいのか分からず夏南が身体をよじると、男がゆっくりと息を飲んでから目を細めた。

「強引なのはあまり性に合わないんだが。ダメだな、きみの香りは本当に刺激が強過ぎる……」

そう言った男が、スーツを脱ぎ捨て、夏南を見つめたままシャツのボタンを一つ一つ外した。ゆっくりとシャツを脱いだ男の深い碧色の瞳に欲情の色が差しているのがはっきりと分かる。

夏南の足をそっと割って、そこに身体を沈めようと動いた男の胸を夏南は咄嗟《とっさ》に押し返した。

着痩せするタイプなのだろう。シャツを脱いだ男の身体は思ったより逞《たくま》しく肉厚で、その身体はとても熱く汗ばんでいた。男がさらに夏南に身体を近づけた。

「待って……！」

ダメ、この先は――。頭では分かっている。いくらこの激しい発情を鎮めるためだとしてもこんなことするべきじゃないと分かっているのに、この男から逃れることができない。

男が夏南を見下ろしながらそっと耳元で囁いた。

「……待てない。いや、待たない」

男の昂《たかぶ》ったものが夏南にあてがわれたかと思うと、信じられないような質量を伴ってそのまま夏南の中に押し入ってくる。

「あっ、ん……待っ、っあ」

「待たないと言っただろう？　それにきみの身体は嬉しそうにすでに僕を半分ほど飲み込んでいる」

夏南にとって未知の感覚だった。

自分の身体の中に誰かが押し入って来る強烈な圧迫感。内側が押し上げられ、下腹部が張り裂けそうなほどにいっぱいになる苦しさに涙が溢れる。

「……ああ、っ」

「中は凄く狭いな。きつくて動いたら持っていかれそうだ」

男がゆっくりと腰を動かすと、身体の奥の方から熱いものが溢れ、互いの粘膜がいやらしく擦れる感覚に快感が高まっていく。

「指よりこっちのほうが気持ちよさそうだな。中がひくついてる」

――言わないで。

「あぁ、ん」

口の端から自分のものとは思えない声を漏らしながら、夏南はわけもわからず男の身体にしがみついた。

「きみの身体は綺麗《きれい》だな。綺麗な上に、酷くいやらしく男を食らう」

「……あ、っっ、気持ち……いいっ、あ」

「初めてだよ。こんなに惹かれる身体に出会ったのは。この僕が、誰かを抱かずにはいられないこれほどの強い衝動に駆られるなんて――」

まるで濁流に飲み込まれているようだった。

とてつもなく大きな波に攫われて流されて溺れているような。もがいてもがいてその波から逃れようとしても逃れられない。自分の意思では最早どうにもならない。この暴力的なほどの欲求と与えられる快楽に、夏南の理性はいつの間にかどこかへ吹き飛んでしまっていた。

*　*　*

どれくらい男とそうしていたのだろう。

何度目かの絶頂を迎え、夏南が果てたのを見届けると、男はそっとベッドを離れた。

重く気怠さの残る身体を動かし起き上がった夏南は、自分が何も身に付けていないことを思い出して慌ててシーツで身体を覆った。

ベッドの上は激しく乱れたままで、夏南の身体に残る熱の名残が、先程までの出来事が夢ではないと主張している。

「……なにやってんの、私」

好きでもない、しかも今日初めて顔を合わせた男とこんなこと――。

発情が落ち着くと、理性的な感情も戻って来た。

夏南だって知らなかったわけじゃない。パートナーのいないオメガの多くが発情の度に適当な相手を見繕い、その熱を鎮めている現実があることも。他人の行為を責めるつもりはないが、まさか自分が同じことをしてしまうなんて――。

夏南が酷い後悔の念に駆られ頭を抱えていると、シャワーを浴びてバスルームから出て来たばかりの男が半裸のままこちらにやって来た。夏南は思わず「きゃあ」と声を上げて自身の目元を覆った。

「はは。今更な反応だな。ついさっきまで獣のように抱き合っていたというのに」

「……そ、それはっ！」

「少しは症状が落ち着いた？　服を着るから、とりあえず顔を隠すな。話もできないだろう」

そう男に言われ、夏南は指の隙間から男の姿をチラと覗《のぞ》き、服を着たのを確認してから手を降ろした。

「これも、まぁ今更だが――。きみはどうしてここに？　見たところ学生……いや、もう少しいってるか。その格好からして就活中といったところか……」

夏南はどちらかといえば童顔で、二十六という年齢より若く見られ学生に間違われることも少なくなかったし、見るからに就活中といったスーツを着ていたことから彼がそう推測したのは頷ける。

「学生じゃないです。こう見えて二十六です。今日はこのホテルの面接に来ていて」

「その帰りに倒れたのか」

「はい……その節は、と言いたいところですけど」

「――はは。素直に礼を言えばいいんじゃないのか？　介抱したうえに、きみの熱まで鎮めてやったんだ」

「そ、そんなことまで頼んでな……！」

夏南の言葉に男が心外だというように眉を上げたが、シャツの袖口のボタンを留め直し、その口元を緩ませた。

あらためて、美しい男だと思った。

濡れたままの髪から小さな雫《しずく》が落ち、シャツの胸元を濡らす様《さま》に夏南はなぜか見惚《みと》れてしまっていた。

「まぁ、そうだな。多少強引だったのは認める。けれど、きみも決して嫌がってはいなかった。でなければ、あんなふうに僕を求めたりしない。そうだろう？」

「それは……！」

「きみは属性の特性によって発情していた。僕はそのフェロモンに誘われてしまった。互いに影響し合い求め合った、それは同意であったと言っていいんじゃないか？」

夏南には、男の言葉を完全に否定できないのが辛い。

「……でもっ」

そうは言っても、夏南にとってこの男が初めての相手だったという事実はやはり夏南の心に重くのしかかる。

夏南にも、普通の女性並みの夢はあった。本気で恋をしてこの人ならと思えた相手に初めてを捧《ささ》げたい、結ばれたい――そんな夢が。

「……初めてだったのに」

夏南の言葉に、男が「え？」と驚いた顔をした。

こんなことを言ったところで、とも思ったが、夏南の初めてを奪っておいて涼しい顔をして微笑むこの男に恨み言の一つくらい零してやりたくなったのだ。

「初めてだったんです！　私にとって、あなたとのセックスが……！　あなたにとっては取るに足らないことなのかもしれないけど、私にとっては……！」

そう言い終わると、夏南はついに泣き出してしまった。

こんな歳にもなって処女がどうこうということではない。ただ、初めてのときくらい自分が好きだと思った相手と愛のあるセックスをしたかった。

自分でもバカみたいだと思った。いい歳の大人が、こんなことで泣くなんて。

でも、一度零れた涙は止めようと思っても止められるものではなく、夏南の頰を濡らし続けた。

「——悪かったよ」

男がそっと夏南の肩に手を置いた。とても温かな手だった。

昔から男性が苦手で、普段の夏南ならこんなふうに触れられることさえ嫌悪してしまうのに、なぜかこの男の手は嫌だとは感じなかった。

「きみが本当に辛そうだったから、少しでも楽にしてあげたいと思ったのは本当だ。僕がオメガのフェロモンに反応しないって言ったのも嘘じゃない」

そう言った男が、夏南の濡れた頰を指で拭った。

夏南はようやく落ち着きを取り戻し、顔を上げて真っ直ぐに男を見つめた。

身体を重ねている時に見た彼の瞳は深い碧色であったのに、こうしてみると少し青み掛かって見えるものの黒に近い。

「嘘じゃないなら、どうして？　あなたは間違いなく発情してた」

夏南が言うと、男が肩をすくめ不思議そうに首を傾げた。

「さぁ。それは僕にも分からない。なにしろ僕も初めての経験だったからね」

そう答えた男が立ち上がって、優しく夏南を見つめた。

「とりあえず、ゆっくりシャワーを浴びて気持ちを落ち着けておいで。もう夜も遅い。家まで送る」

夏南が男に言われた通りシャワーを浴びてバスルームから出ると、あらかじめ置いておいたはずの着て来たスーツは忽然《こつぜん》とそこから消えていて、代わりに見慣れないワンピースと下着が洗面台の上に一式用意されていた。

「……どういうこと？」

とりあえずそれしか着る物が見当たらない為、夏南は用意された服に袖を通し再びベッドルームへ戻った。

乱れたベッドはそのままだったが、部屋のカーテンは開けられていて、男は最初に見た時と同じように上質なスーツに身を包んで、窓際のソファに座っていた。

「あの……」

夏南が声を掛けると、男が立ち上がって夏南を見つめその目を細めた。

「よく似合っている。急いでコンシェルジュに用意させたが、サイズも問題なかったようだな」

細身の袖のない黒のシンプルなワンピース。随所にレースが施された上品なそれは、サイズも夏南の身体にぴったりだった。

「あの、これ……」

「きみにプレゼントするよ。こんなことで全て許されるとは思わないが、せめてものお詫《わ》びに」

「あの、私が着ていたスーツは？」

「そこにまとめてある」

男がソファの上に置かれた有名な高級ブランドものの紙袋を指さしたので、夏南は思わず声を上げた。

「もしかしてこのワンピース……こんな高級な服、受け取れません！　お借りしますが、ちゃんとお返しします！」

「はは。返されても困るよ。僕は女性もののワンピースを着る趣味はない」

「でも！」

「言ったろう？　せめてもの詫びだと。それとも何か別のものがよかったか？」

そう言った男が少し考えるように腕を組んだ。

「お詫びとか、別にいいです！　さっきはあんな言い方しましたけど、あなただけが悪いんじゃないですし……」

夏南にその意思がなくとも、男の発情を誘発してしまったのは間違いなく自分の発するフェロモンのせいだ。

「とにかくそれはきみにプレゼントする。不要ならきみのほうで処分すればいい」

「……」

こんな上等な服を不要なら処分すればいいなどと簡単に言えるこの男は一体何者なんだろう、と夏南は思った。だが、そこまで言われてしまうと、夏南のほうもこれ以上何も言えなくなってしまった。

「分かりました。じゃあ……お言葉に甘えてありがたくいただきます」

そう言って夏南が荷物を纏め男に向き直ると、男が小さく微笑んだ。

「贈り物は素直に受け取るものだ。そのほうが贈る男も喜ぶ。覚えておくといい」

その言葉に夏南はこの男が女性に贈り物をすることにも慣れているように感じた。

本当に、何者なんだろう？

夏南よりは少し年上だとは思うが、まだ若いのに随分と落ち着いていて不思議な余裕がある。


「あ！　この辺で大丈夫です！」

夏南の言葉に、男はセダン型の車をゆっくりと道路の端に停めた。ホテルから夏南の自宅近くまでは、道路が空いていたこともあるが二十分ほどだった。

その間、特別何か会話を交わすわけでもなく、少々気詰まりな空間だったが、送ってもらっておいて夏南が文句を言える筋合いもない。

ただ黙ったまま車を走らせる男の美しい横顔を時折盗み見ながら、夏南は終始落ち着かない気持ちで、車に揺られていた。

「送っていただいてありがとうございました」

車を降りた夏南は、男に深々と頭を下げた。

想定外の出来事に見舞われたとはいえ、彼は夏南を助けてくれたうえに家まで送り届けてくれたのだ。その厚意に対する感謝の気持ちだけは伝えておかなければと思ったのだ。

顔を上げた瞬間、男が何か言おうとしたような気がしたが、夏南の気のせいだったのか「気を付けて」と言っただけで、そのまま車を出して走り去って行った。

車のテールランプが小さくなっていくのを眺めながら、夏南はそっと指先で唇に触れた。

あれは、現実だったのかな――？

身に付けているワンピースや手にした荷物が、さっきまでの出来事が現実であることを示しているのに、なんだか夢をみていたような奇妙な感覚に陥っている。

「関係ないか……もう二度と会うこともないんだから」

事実、彼の名前も歳も、何をしているのか、どうしてあの場にいたのか、なぜ自分を助けてくれたのかさえ知らない。

夏南は大きく息を吐いてから、目が覚めたようなしっかりとした足取りで自宅アパートへ向かって歩き出した。

2

女を自宅近くまで送り届けたあと、高城琉司《たかしろりゅうじ》は車のハンドルを握ったまま大きく息を吐いた。

目の前で赤く灯る信号を見つめながら、つい今しがた車から降ろしたばかりの女のことを考えていた。

二十六という年齢のわりに若く見える彼女は、琉司の目にはまだ学生のようにも映った。女性らしい顔まわりを包み込むような清潔感に溢《あふ》れたショートヘアがとても印象的で、目鼻立ちがはっきりとしたどちらかといえば美人顔な女性だった。

背はそれほど高くなく、華奢《きゃしゃ》な体つきが全体的に見た印象のあどけなさに繋《つな》がっている。

車内には彼女の残り香があった。とても甘く、けれど嫌味のないどこか惹《ひ》きつけられるような香り。

琉司にとって、彼女の存在はイレギュラーであった。

アルファという属性に生まれながら、オメガの誘発フェロモンを感じ取ることはできるが、発情を促されるという経験が一度もないまま、琉司は三十二の誕生日を迎えていた。

思春期を過ぎると、人間は男女の特性に加えそれぞれの属性の特性にも目覚めていく。アルファ特有の突発的発情は、時に思わぬ性トラブルを起こすこともあり、なければないで特別困ることはなかったが、発情を促されないということはつまり誰にも性的魅力を感じないという味気ない人生でもあった。

そんな自分が、あんな強烈な性衝動に駆られるとは――。

「遅れてやってきた思春期か、はたまたこの特異体質が治ったと考えるべきか……」

そう声に出して呟《つぶや》いてから、琉司は大きく息を吐いた。

「一度、確かめてみる必要はあるな」

青になった信号を確認し、琉司はゆっくりと車を発進した。

＊　＊　＊

仕事を早めに片づけてレストランに琉司が到着したのは午後七時を少し過ぎた頃だった。

車を降りて足早に階段を駆け上がると、玄関口でレストランの支配人が琉司を出迎えた。

「いらっしゃいませ、琉司さま。いつものお部屋をご用意しております」

「ああ、ありがとう。社長は？」

「いえ、まだですが……駆《かける》さまは先にお着きです」

「分かった。案内はいい」

顔見知りの支配人と短い会話を交わし、奥の個室の扉を開けると、部屋にはすでに弟の駆がいて退屈そうに窓の外を眺めていた。

琉司に気付くと駆はまるで飼い主を見つけた子犬のように嬉《うれ》しそうにこちらにやって来た。

「兄さん。早かったね！」

「ああ……遅れるとあの人が煩い。そういう駆こそ、今日は随分早いんだな」

「そりゃあ。俺だって毎回怒られちゃたまんないもん」

そう答えた駆と顔を見合わせて小さく吹き出した。

「相変わらず忙しいの？　最近、全然家に顔見せないけど」

「ああ、忙しいな。片づけなきゃならないことが多くて、マンションにも寝に帰るくらいだ」

琉司は大学入学と同時に実家を離れた。大学を卒業し、父の仕事を手伝うようになってからも職場からの利便性を考えたマンションに一人暮らしをして随分経つが、年の離れた弟はこの春大学を卒業したばかりで、未だ実家暮らしだ。

「兄さん仕事できるから、父さんも頼りにしてるんだよ」

「そういうおまえだって、本社での研修始まっているんだろ？　仕事の方はどうだ？」

琉司が訊《たず》ねると、駆があからさまにげんなりとした表情を見せた。

「どうもこうも……居心地最悪！」

そう言って唇を尖《とが》らせた駆は感情に素直だ。ふとした表情に大人びたくるくると変わるその表情は幼い頃の面影を残したままだが、琉司にとってはかわいいばかりの弟でものを感じるようになった。歳が離れているぶん、琉司にとってはかわいいばかりの弟であったが、それは今でも変わっていない。

「はは……まぁ、はじめはそうだろな。僕の時も酷かったよ。社長の息子なんて社員たちからしたら扱いにくくて仕方ないんだろう」

「それだけじゃないよー！　兄さんができる人だから何かと比べられんの、俺」

「何言ってる。僕もおまえくらいの頃は失敗ばかりでよく社長に怒鳴られた」

「いまやその社長の片腕じゃん！」

「そんなんじゃない。若い頃よりできることが少し増えたってだけだ」

そんな話をしていると、ふいに扉が開き支配人が顔を覗《のぞ》かせ、それに続くように父の正《まさ》道《みち》と母の頼子《よりこ》が部屋に入って来た。

給仕の者に椅子を引かれ父と母が席に着き、それにならうように琉司と駆も席に着いた。

二時間ほど家族で和やかな食事を楽しんだあと、一人残るよう言われた琉司は、頼子と駆を玄関口まで見送ったあと再び正道の待つ個室へと戻った。

食事をしていた大きなテーブルの上は綺麗《きれい》に片づけられ、正道が書類を手に食後のコーヒーを楽しんでいた。

「戻ったか、琉司。まぁ、とりあえずそこに座れ」

琉司は促されるまま、正道の向かいの席に座った。

こうして一人残されるときは、頼子と駆には少々退屈な仕事絡みの話があるときや、二人に聞かれたくない話があるときだ。

「例の人工島リゾートの件、正式に決まった。来年の夏には着工に入る」

「本当ですか……！」

例の件とはここ数年正道が他の事業者と共同で開発を進めている新規事業のことだ。

関東近郊のとある場所に人工島を建設し、そこをまるごと一大リゾート地にする大規模な計画だ。

「ああ。今後おまえにも正式にチームに加わってもらう」

「僕が……ですか？」

「なんだ、不満か？　当然だろう。おまえは高城家の長男だ。ゆくゆくはこの高城グループもおまえに任せたいと思っている」

グループの後継者に、僕を――？

正道の言葉が嬉しくないわけではないが、琉司としては内心複雑でもあった。

琉司は確かに正道の息子であるが、正妻・頼子の息子ではない。いわゆる正道が外に作った愛人の子であって、琉司の生みの母が若くして病気で急死したことから、琉司が六歳のときこの高城家に引き取られたのだった。

当時頼子に子はなかったため、琉司は正道の手によって幼い頃から充分過ぎるほどの教育を施されてきた。駆が生まれたのは琉司が十歳になった年のことだった。

諸々の事情を正道から聞いたのは、琉司が中学を卒業し、高校に進学するタイミングだった。

母の頼子はとてもできた女性で、愛人の子である自分と実子である駆を分け隔てるようなことはなかったし、高城家において琉司の立場というものは決して辛いものではなく、むしろ幸せだった。

だからこそ、思うのだ。このまま自分は高城家に居続けていいのだろうか、と。

特にグループの後継話には頭を悩ませた。正道は自分と同じアルファである琉司に跡を継がせたいようだが、高城家の正式な血統の後継者にあたるのは駆である。

「社長……そのことなんですが。こうして仕事のお手伝いをさせていただくのは嬉しいんです。ただ、グループの後継者という話はやはり僕では世間的にも――」

そう答えた琉司の言葉を遮るように、正道が言葉を続けた。

「確かに、おまえが正妻の子でないということで世間は騒ぐかもしれないな。実際、騒がれたことがあったのも事実だ。けれど、そんなものは黙らせてしまえばいいだろう」

黙らせる？　どうやって？

そんな琉司の疑問が顔に出ていたのか、正道が手にした書類をテーブルの上に置いてこちらを見た。

「そのために、おまえに何が必要か分かるか？」

　父が含みを持って琉司に問いかけたが、琉司の答えを待たずにさらに言葉を続けた。

「実力という点でなら、おまえはすでにその資質を持ち合わせている。おまえに唯一足りないものは社会的信用度だ」

　正道の言葉に、琉司はかすかに眉を寄せた。

「結婚だよ、琉司。これまで私がどれだけ機会を設けたと思っている？　愛人の子だろうが何だろうが、結婚して家庭を持つことで社会的信用度は上がり、一人前と認められる。世間的に後継者としての立場を確固たるものにしてしまえばいい。そうだろう？　すでに社内にはおまえを後継に推す声も上がっているらしいぞ？」

「……」

　正道は言ったが、果たしてそうなのだろうか。

「誰かいい相手はいないのか？　もしかして頼子のことを気にしているのか？　おまえが家庭を持ち、運良く子供にでも恵まれれば頼子とて文句も言えまい。私にとって駆ももちろんかわいいが、おまえはアルファであるし頭もいい。これまで任せた仕事も期待以上の成果を残してきている。グループの跡取りに向いているのはおまえのほうだ。私をがっかりさせるな……分かるだろう？」

　ここで正道の言葉を突っぱねることができないのは、幼い頃から愛人の子である自分を実子である駆と同様、いやそれ以上に手塩に掛け育ててくれた恩があるからだ。

「まぁ、そればかりで結婚しろと言っているわけじゃないんだがな……」

　それまでビジネス口調を崩さなかった正道が、表情を崩して琉司を見つめた。

「おまえは、私の息子だ。自分の息子に、誰かいい相手を見つけて幸せになって欲しいと思うのは親として当然のことだろう？　おまえは若い頃から女性に関しちゃ人一倍奥手だ。このまま一生独り身になってしまうのかと思うと、親としては心配だ」

　そう言ってにやりと笑った父に、こちらもやっと息子としての笑みを返す。

「父さん……」

「早急に見合い相手でも探すか？　つてなら山ほどあるぞ」

「——遠慮しておきます。相手くらい自分で見つけます」

「怪しいもんだな。これまで恋人の一人も紹介されたことはないぞ？」

「それは、父さんに会わせたいと思うところまで行かなかっただけで……」

　事実、女性と付き合った経験がない訳ではない。

　自分の心が動く動かないは別として、言い寄られることは少なくなかったし、恋愛がどういうものかと、試しにこの人なら好きになれるかもしれないと思った女性と付き合ったこともある。

　正道に無理矢理相手をあてがわれたこともあったが、自分の容姿や家柄というスペック目当てで近づいてくる人間がほとんどで、少し心を許せばその信頼を裏切られて来た。

　情けない話だが、まともな恋も知らないままこの歳まで独り身だ。

「まぁ、いい。とやかく言われるのが嫌だったら、いい加減そういう相手を連れて来い。――ただし、期限付きだ。半年経っても誰も連れて来られないようなら私が相手を決める」

正道の言葉に、琉司は驚いて立ち上がった。

「待ってください、父さん！　半年って……」

さすがに半年で結婚相手を探せと言うのは無理難題過ぎないか、と抗議をするも正道は全てを見透かすように口の端を上げた。

「仕事は早いが、こういった事に関してはおまえに任せてたら埒《らち》が明かない。期限があったほうが尻に火が付くだろう」

正道の強引さに言葉を失い、琉司は諦めたように大きく息を吐いた。

＊　＊　＊

外での昼食中に掛かって来た急ぎの電話を切り、店の前で待機していた車の後部座席に乗り込むと、琉司はスーツのポケットからピルケースを取り出した。

「稲森《いなもり》。悪いが水を」

「ご用意してます」

運転手の稲森が運転席から差し出したペットボトルの水を受け取った琉司は、ピルケースの中から取り出した薬を一気に喉に流し込んだ。

「琉司さま、今日はこのまま社にお戻りでよろしかったでしょうか？」

「ああ。頼む」

琉司は手にしたボトルをホルダーに置くと、深くシートにもたれて窓の外の景色を眺めながら先日の正道の言葉を思い出していた。

半年で結婚相手を見つけるなど本当に無理難題だ。

正道の意向も自分の立場も分かっているが、果たして父の意向に沿うよう努力することがいいことなのかどうか。

頼子や駆はどう思っているのだろう。正道はともかく頼子には実子である駆のほうにグループを継いでほしいという気持ちが大きいのではないだろうか。もし駆にグループを継ぐ意思があるのであれば、駆にそれを譲るのが筋ではないのか、とも考える。

それ以前に、琉司には以前から危惧していることがある。琉司は再びポケットの中のピルケースを取り出してその手に握りしめた。

自分が誰かと結婚したとして、万が一のことがあった場合に相手を悲しませることになってしまうかもしれない――そう考えると、これまで恋愛や結婚に対して積極的になることができなかった。その考えは今でも捨て切れてはいない。

「かといって何もしないというわけにもいかないだろうな……」

琉司の漏らした声に、稲森がバックミラー越しにこちらを見た。

「どうかされましたか？」

「いや……なんでもない」

「社長からの無理難題に頭を悩ませている感じでしょうか？」

「どうして、そう思うんだ？」

「随分難しいお顔をされてましたので」

稲森の少し楽しそうな声に、琉司は苦笑いを返した。昔から高城家に雇われていて、琉司が幼い頃から送迎をしてくれている稲森は、当然社長である正道との付き合いも琉司より長い。

何も言わずとも、その辺の勘は働くのだろう。何もかも見透かされているようで悔しいが、稲森は琉司にとって数少ない本音を零せる相手でもある。

「なぁ、稲森。半年で結婚相手を見つけるにはどうしたらいい？」

琉司の問いに稲森が一瞬驚いた顔をしたが、すぐに元の表情に戻った。

「社長が、そうしろと仰られたのですか？」

「言いそうだろ、あの人なら」

「琉司さまなら、容易いことでは？　あなたほどのお人でしたら女性のほうからのアプローチも多いでしょうに」

そのアプローチに心躍ることもないのだからどうしようもない。

女性が苦手とか嫌いというわけではないし、恋愛がしたくないということでもない。ただ、心が動かないのだ。

美しい女性を見れば、素直に美しいとは思う。でも、ただそれだけで、その先のことになるとまるで興味を持つことが出来ない。誘われれば大人としてそれなりの付き合いはできる。それは培われた対人スキルというやつだ。

それ以上知りたいと思うこともなければ、手に入れたいなどと思うこともない。当然、恋愛に発展することもない。

そこまで考えて琉司ははっとした。

――いや、いた！　それだけじゃない、不思議な女が。

あの時の、衝動。たった一度会ったことがあるだけだが、琉司が自分の理性を抑えきれないほどに惹きつけられた女性。

もし、どうしても父の言う相手を見つけなければならないのなら、少しも心が振れない相手より、その理由は分からないが琉司の感覚の何かを刺激する相手のほうがいい。

琉司は社に戻るとすぐに、自ら人事部に行き、その日面接した応募者の履歴書の中から名前を調べた。

藍沢夏南――彼女について琉司が採用の合否を問うと、人事担当者は彼女を不採用にしたことを琉司に伝えた。その理由は、表向き採用条件に合わなかったとしているが、やはりオメガだからという理由らしい。彼女には申し訳ないとは思うが、雇用側の立場からすればそれもまた当然のことだった。

＊　＊　＊

それから数日、琉司は仕事の合間に夏南の自宅付近で彼女に会える機会を窺《うかが》った。

一度目、二度目は不在であったが、三度目に訪れた夜、偶然帰宅する夏南を見つけ声を掛けることに成功した。

「藍沢夏南さん――だね」

琉司が車を降り彼女に近づくと、彼女が琉司の顔を見て驚きの表情を見せた。

「え？　どうして？　何してるんですか、こんなところで……」

彼女が驚くのも無理はない。あの日限りだと思っていた人間と再び顔を合わせることも想定外だっただろうし、自分を待っていたような様子が窺えれば、彼女が不審に思うのも当然だ。

琉司は彼女を怖がらせないよう一定の距離を保ち、努めて紳士的に声を掛けた。

「驚かせて悪かった。よかった、僕のことは覚えているようだな」

そう言った琉司の言葉に、彼女が過剰に反応し慌てる素振りを見せたのは、あの夜のことを思い出したからなのか。彼女が平静を取り戻して顔を上げたのはそれからすぐだった。

あの日の彼女は発情期であったためか、フェロモンに乗じた色気のようなものを強く感じたものだが、発情していない彼女はごく普通の女性に見えた。

「あの、今日はどういう……私に何か御用ですか？」

前回会ったときと同じようなスーツを着ていることから、彼女はもしかしたらまだ仕事を探しているところなのかもしれないと琉司は思った。

「ああ。用があったからここで待たせてもらっていた。さっそく不躾《ぶしつけ》な質問で申し訳ないが、その後新しい仕事は見つかったのか？」

琉司が訊ねると、夏南は強い視線を一度琉司に向けてから何か思い直したように小さく息を吐きながら答えた。

「まだです……。ご存知のように、オメガが仕事に就くのは簡単ではないので」

言葉に少し棘《とげ》が含まれているのは、なかなか仕事が決まらないことに対しての憤りのようなものか。

「あれから何社か面接を受けましたが、どこも不採用。あと一週間でいまの職場の契約も切れてしまうし、正直焦ってます……」

半ば諦めたように本音を漏らす彼女にさすがの琉司も同情した。

アルファである琉司はどちらかといえば何事においても優遇され、それを理由に妬まれることはあったが、彼女の受けて来たような酷い差別や扱いについては経験がなくある程度の想像が働く程度だ。

彼女は少し何かを考えるような表情を浮かべてから、探るように琉司を見つめた。

「でも……それが何か？」

彼女の表情は見るからに硬く警戒心に満ちている。

「もしきみがまだ仕事に困っているようなら、いい仕事を紹介しようかと思ったんだが」

琉司の言葉に夏南が驚いたように顔を上げた。

「――その仕事って、どういった？」

余程状況が切羽詰まっているのだろう。〝仕事〟という言葉に夏南が強く反応した。

「きみ、やる気はあるほう？」

「はい！　飛びぬけた才能や自慢できるような資格はありませんが、意欲だけなら！　私でできることなら何でも精一杯させていただきます」

ほんの少し前まで琉司に警戒心を露にしていた夏南が、急に前のめりになって答えた。

「何でも、か。それは頼もしいな」

「どんな仕事ですか？　私、体力はあるほうです！」

「いや……体力はそこまで求めてないかな。必要なのはそこそこの演技力」

「はい？」

琉司が言った演技力と言う言葉に、訳が分からないというように夏南が首を傾げた。

表情が豊かというのか、感情がそのまま表情に直結しているように彼女の考えていることが手に取るように想像できる。

「素直でいい。その反応、おもしろい」

「おもしろがってないで、そのお仕事の内容を教えてください！」

決して悪い意味で言ったわけではないが、おもしろいという言葉に少なからず気分を害したのか、夏南が少し頬を膨らませながら言った。

「仕事は簡単だ。きみに——僕の婚約者のふりをして欲しい」

その意味がすぐに理解できなかったのか、夏南が口をぽかんと開けて固まった。

「……は⁉　いま、なんて？」

「きみに頼みたい仕事っていうのは、僕の婚約者のふりをしてもらうことなんだ」

夏南は、尚も意味が分からないというように眉を寄せた。

「分かりやすく言うと——そうだな、契約結婚……みたいなものか」

余程衝撃的だったのか、しばらく無言の間があってから、目をまんまるに見開いたまま口を開いた。

「け、け、契約……結婚⁉」

夜道に夏南の発した大声が響き、はっとした彼女が慌てて声を潜めて琉司に言った。

「な、何言ってるんですか⁉　そんなバカなことできるわけ……！」

「確かに常識的でないのは認めるよ。——が、こちらも事情があって困っていてね」

琉司の言葉に夏南が眉を動かした。

「困るって、どういうことですか？」

「その辺も含めて、詳しい事情を説明したいんだ。きみにとっても悪い話じゃない。話だけでも聞いてみる気はないか」

そう訊ねると、夏南は一瞬考える素振りを見せてから小さく頷《うなず》いた。

「じゃあ、乗って」

琉司が車の後部座席のドアを開けると、夏南が一瞬だけ戸惑ったような表情を向けた。

「心配ない。取って食いはしない。僕の運転手も一緒だ」

夏南が運転席に稲森の姿を確認し、安堵《あんど》した様子を見届けてから再び夏南を車に促すと今度は素直にそれに従った。

「あの……これからどこへ？」

「近くの店に案内する。落ち着いて話せる場所のほうがいいだろう？」

琉司の言葉に夏南が黙って頷いた。


琉司が夏南を案内したのは、夏南の住んでいるアパートから車でほど近い馴染《なじ》みのバーだった。大きな通りに面した五階建てビルの地下の重い木製扉を開けると、照明が落とされた店内にキャンドルの柔らかな明かりが揺れている。

「いらっしゃいませ。高城さま」

「急で悪いが、奥の個室は使えるか？」

「ええ。ご利用いただけます。すぐにご案内を」

運転手の稲森も店の中まで同行させ、稲森を入口近くのカウンターでノンアルコールドリンクを飲んで待つよう言うと、琉司は夏南を連れて奥の個室へと向かった。

琉司も普段は一人カウンターで飲むことが多いが、今夜は夏南とゆっくり話ができるよう奥の個室へ彼女を通した。

「どうぞ、掛けて」

琉司の言葉に夏南が恐る恐るといった様子で革張りのソファに腰を下ろした。こういった場所にあまり慣れていないのだろう。物珍しそうに辺りを見渡している。

「僕はいつもの、彼女には口当たりのよさそうなノンアルコールのカクテルを」

琉司が案内のバーテンに告げると、バーテンが「かしこまりました」と言って部屋を出て行った。そんな様子を眺めていた夏南が遠慮がちに口を開いた。

「あの……この間の豪華なホテルの部屋といい、運転手付きの高級車といい。あなたは一体何者なんですか？」

夏南の問いに、琉司は「ああ……」と夏南の前に腰を下ろすとスーツの胸元から名刺を取り出してガラステーブルの上にそっと置いた。

「高城リゾートグループ……？　高城、琉司……」

夏南が名刺を手にしながら呟き、はっと何かに気付いたように息を飲んだ。

「高城グループって、あの⁉」

予想を裏切らない夏南の驚いた顔に、琉司はただ静かに笑い返した。

自分が就職の面接を受けたホテルがそのグループの一つだということは知っていたようだが、彼女にとってあの夜自分を抱いた男がそのホテルの関係者だったとは今の今まで思いもよらなかったのだろう。

「え？　てことは、あなたは高城グループのご子息……」

そう言いながら夏南がその意図を測りかねるような表情で琉司を見つめた。

「ちょっと……待ってください。ますます分からない！　高城グループのご子息がどうして私なんかに……？」

「それを説明するために、きみをここへ連れて来たんだ」

そう言って琉司はつい今しがた運ばれてきたカクテルを夏南に勧め、自らもグラスに口をつけてから静かに話し始めた。

「僕は訳あって半年以内に結婚相手――もしくはそれに準ずる相手を見つけなければならない。だが、半年という短い期限内に結婚相手を見つけるというのは現実的に厳しいと思わないか」

琉司が訊ねると、夏南はそれに同意しかねるような複雑な表情を浮かべながら答えた。

「確かに……普通に考えたら難しいかな、とは思います。でも、あなたは高城グループのご子息なんでしょう？　あなたと結婚したいと思う女性なんていくらでもいると思うんですけど……」

ある程度予想通りの夏南の返答を受け止めつつ、琉司は小さく微笑んだ。

「だったら、質問を変えよう。僕と結婚したいと思う女性がいくらでもいるというなら、きみだってそれに当てはまるということではないのかな？」

琉司の問いに、夏南がその姿勢を正してまっすぐこちらを見つめ返した。

「それは一般論ですよ。私はそんな……玉《たま》の輿《こし》の契約結婚に興味はないですし」

「じゃあ、きみはどんな結婚が理想なんだ？」

琉司が訊ねると、夏南が少し考えるようにしてから言葉を続けた。

「どんなって……。ごく普通の自分の身の丈に合う結婚です」

夏南の言葉に、今度は琉司が首を傾げた。

「身の丈とは？　きみがオメガで僕がアルファだから吊《つ》り合いが取れないと？」

「それも、あります。社会的地位の高いアルファは、その地位を維持するために同じアルファ同士で結婚するのが一般的じゃないですか。もちろん例外があるのも知ってますけど、それはごく稀《まれ》ですし……」

夏南がそこで言葉を切った。

「どうして、私にそんな話を持ち掛けてくるんですか？　あなたほどの人なら何も私じゃなくたって……」

夏南の言葉に、琉司自身なぜだろうと心の中で自問した。

確かにあの夜、琉司の中に眠っていた強烈な感覚を彼女によって呼び起こされた。たまたま起こった偶然なのか、それとも夏南だからだったのか、琉司自身も事実を測りかねていた。

「どうしてって理由が欲しいのなら——たぶん興味を持ったんだ、きみに。人生で初めて、きみの……きみだけのオメガのフェロモンに発情を誘発された。なぜだろう？　僕も疑問に思っているところだが、それだけでは理由にならないか?」

「……それは」

「他にも理由が必要なら——そうだな」

琉司が静かに言葉を続けた。

「きみはあの日我が社の面接を受けに来ていた。だが、あれから一週間経っても未だ仕事は決まっていない。うちの社できみを採用できなかった僕にも少し責任がある、という理由はどうかな」

「でも……あなたが私を不採用にしたわけじゃないんでしょう?」

「もちろん、僕が直接そうしたわけじゃない。でも同じことだろう。それに、僕は意図せずきみの大切なものを奪ってしまった……少しも罪悪感がないかといえば嘘《うそ》になる。僕がきみに持ち掛けている契約は、きみを助けるためでもあるんだよ」

琉司が言うと、夏南が不思議そうに首を傾げた。

「私を……助ける?」

「そうだ」

琉司は深く頷きながら「話を戻そう」と流れを仕切り直した。

「僕には半年以内にパートナーが必要で、きみには新しい仕事が必要。お互い必要なものがあるが、一人では叶《かな》わない。つまり——僕に必要なパートナーになり得るのがきみ。そのきみに必要な仕事を与えられるのがこの僕。お互いに与え合い必要なものを補い合う。

契約結婚なんて言い方をしたから聞こえが悪いのかもしれないが、お互い有益になる取引をしないか、ということなんだ」

琉司の言葉に夏南が何度も目を瞬かせた。

それから何かを考えるように視線を一点に固定させた。

「それは……私があなたのパートナーになれば、あなたが私に仕事をくれるってことですか？」

「いや。正確には、僕のパートナーになること自体がきみの仕事で、僕はそれに報酬を払うということだ。さっき言った半年以内というリミットに間に合わせることが最優先だから、その後のことは何ともいえないが……こちらの都合にいろいろと合わせてもらう以上きみには出来る限りの便宜を図るつもりでいる」

琉司の言葉に夏南が尚も不思議そうな顔をする。

「本当にそれだけでいいの？」

夏南が念を押すように訊ねた。

「たったそれだけで報酬を頂けるんですか？　あなたのパートナーのふりをするだけで？」

「そうだ。悪くない話だろう？　パートナーという立場上、世間の目もあるし一緒に生活することにはなるが、きみが嫌なら完全に生活スペースを分けてもいい。生活費諸々はすべて僕が持つ。きみは生活に困ることなく、僕からの報酬を自由にできる」

夏南にとって、琉司の提案は決して悪い条件ではないはずだ。

「でも、私にあなたの相手が務まるか」

好条件の提示にも関わらず、なかなか首を縦に振らない夏南に、琉司は追い打ちを掛けるような言葉を敢えて選んで言った。

「こんなこと言いたくはないが、悠長なことを言ってられるのかな？　契約が切れたあと他に収入の当てはあるのか？　きみに当面の間生活できる程度の貯蓄でもあれば別だが、そんな余裕があるようには見えない」

夏南が俯《うつむ》いたまま軽く唇を噛《か》んでいるのは、琉司の推測が図星だからだろう。

「僕の要求は簡単だ。当面は僕のパートナーらしい振る舞いをして欲しい。もし――その後きみが僕との生活を気に入ってくれたなら、そのまま本当の夫婦として暮らしてもいい。その辺はきみ次第だ」

そう言うと夏南が顔を上げて琉司を見つめた。

「……あなたは、それでいいんですか？」

「いいも何も。僕が言い出したことだ」

「だって、好きでもない相手と契約結婚とか……！　私はあなたの言うように悠長なことを言っていられる余裕もないけれど、あなたは違うでしょう？」

彼女の中で何が引っ掛かって返事を渋っているのかと思えば、彼女自身がどうこうということではなく、琉司を気遣ってのことだったと分かり脱力する。

――本当に人がいいのだな、きっと。

「昔は顔を見たこともない相手と結婚させられることも珍しくなかったというだろ？　それに比べたら僕はきみの顔を知っている。政略結婚も見合い結婚も似たようなものだ。それに僕たちには決定的なメリットがひとつある。きみだって感じただろう？　少なくとも身体の相性は悪くない。僕はきみの身体が気に入ったし、きみの発情期には充分きみの熱を鎮める役目は果たせると思うが」

「……な、っ」

琉司の言葉に夏南が思いきり顔を赤らめた。

あの夜、あれほど大胆に求め合ったのに、と思うような初々しい反応。まるで別人のようだ。

「それに――もしきみが望めば『番』になるという方法もある」

「え……？」

「きみもオメガなら、知っているだろう？」

これこそが、彼女の気持ちを動かす材料になればと、琉司は慎重に言葉を続ける。

「番になってしまえば、きみの誘発フェロモンも僕にしか作用しなくなる。そうなれば、きみも今よりずっと生きやすくなる」

オメガの夏南はこれまで数々の危険な目に遭って来たはずだ。そういった危険から解放されることは彼女にとって大きなメリットになるはずだ。

「この話、乗ってみる気はないか？」

夏南の表情にいまだ迷いが見える。彼女にとって悪くない話のはずなのに、何を迷うというのだろう。

「悪いようにはしない」

琉司は夏南の表情を窺いながら、彼女の言葉を待った。

「……でも」

「僕も自分で驚いているんだ、こんな提案をしていることに。ただ——思ったんだよ。どうしても誰か相手を選ばなければならないなら、漠然ときみがいいな、ってね。あの夜のことはもしかしたら偶然かもしれない。でも、偶然なのかそれとも本当にきみだけが特別なのか……とにかく知りたいと思ったんだ」

琉司は飾ることのない思ったままの言葉で答えた。

「逆に、どうしたらこの話に乗ってもらえる？　きみのほうで提示する条件があるのならできる限りその望みを叶えるようにする」

自分にしては随分大胆な行動に出たと琉司は思った。たった一人の人間に自分がここまで食い下がるなど。

これまで人に興味を持たれても、それが琉司自身に対する興味ではなく高城というブランドに対する興味だということを事あるごとに実感してきた。

そういった現実を理解できるようになってからは、自分から他人に興味を持たないようにしてきた。なぜなら、いずれ裏切られることが分かっていたからだ。

けれど、この歳になって初めて興味を持てる人間に出会った。ただ、それだけのことなのに——。

「あの……本当に私は婚約者のふりをするだけでいいんですか？　契約結婚ってことは、世間的には夫婦として見られるってことですよね？」

「そうだよ。きみは世間的に高城グループの一員となる。僕が望むのは、友好的な契約結婚といったところだ」

「友好的契約結婚……」

「僕はきみを脅して言うことをきかせたいわけじゃないし、できるなら友好的にその関係を結べればと思っている。最初でこそ愛はなくとも、もしかしたら育つかもしれない——そんな関係が理想だ」

琉司の言葉にどこか納得したのか、夏南が初めて表情を緩め、思い出したようにテーブルの上に置かれたカクテルグラスを手に取った。

「美味しいですね、これ」

「女性好みの甘めのカクテルだ。気に入った？」

「凄く美味しいです！　私、あまりこういうお店に来たことがないから新鮮で」

手にしたグラスをガラステーブルの上に置いて、夏南がすっと姿勢を正し琉司を見つめた。何かを決心したような真っ直ぐな視線をこちらに向ける凛《りん》とした表情はやはり可愛いというより美しい。

不思議な女性だ。可愛さと美しさがいい具合に共存している。

「あの――その契約に、私からも条件をつけてもいいですか？」

彼女の言葉に琉司は無意識に身を乗り出していた。

「もちろん。なにが希望？」

琉司の問いに、一瞬躊躇《ためら》っているような迷いが見えたが、やがて静かに口を開いた。

「パートナーとして振舞う、っていうだけじゃ、あまりにも私にとって条件が良過ぎると思うんです。なので、あなたが嫌でなければ、あなたの身の回りの世話……食事やその他諸々、あともし私でお手伝いできそうなお仕事があればさせてもらいたいです」

どんな条件をつけられるやら、と内心ひやひやしていたが、夏南の出した条件に琉司はほっと胸を撫《な》で下ろした。

「そんなことでいいのか？　他には？」

「あなたが友好的な契約と言ったように、私もできるなら友好的な関係で過ごせたらと思っています。なので、お互いそれなりの努力を……というか」

「もちろん。僕もできるだけ、きみのパートナーとして相応しくあるようやっていけたらと思っている」

「それから――」

「はは。いろいろ出て来るな。いいよ、契約だからね。条件は大切だ」

「お仕事の報酬を、給料として月々少しずつ頂いてもいいですか？　仕事の対価に見合うごく平均的な額で」

「もちろん。——でも、なぜ？」

「もし、何かのトラブルで契約が途中で不履行になるようなことがあれば、その時に困らないだけの当面の生活費を蓄えておきたいと思って」

「いいだろう」

琉司側にその気がなくとも、何らかの理由で夏南の方から解消を申し出てこないとも限らない。

そうなった場合、オメガの夏南が再び職に就くには時間が掛かる。保険を掛けておきたい彼女の気持ちも理解できる。

万が一のことがあっても、当面の面倒くらいはみるつもりでいるが、もしかしたらそれが叶わない場合もないとは言い切れない。琉司は夏南の出した条件を快諾した。

3

『——えっ⁉　結婚⁉　相手はあの高城グループの御曹司⁉　本当に⁉』

夏南が兄の冬也に婚約の報告をしたとき、兄は驚きのあまりまるでコントのように座っていた椅子から転がり落ちた。

高城グループといえば、全国各地にいくつも系列ホテルを所有し、関連の旅行会社や飲食業などを含めた幅広い事業展開でその名を知らない者はいないというくらいの大企業だ。

その大企業の御曹司である琉司との結婚話に兄が驚くのも無理はない。

余計な心配を掛けてしまうのを危惧してのこととはいえ〝契約〟の事実を隠し、それらしい出会いのエピソードと経緯を捏造《ねつぞう》して冬也に報告したことに夏南は良心を痛めていた。

それでも、仕事を失ってからの夏南の今後を心配してくれていた兄に、結婚という大きな安心材料を報告できたことが救いだ。

少なくとも琉司と交わした契約によって、生活に困り兄や兄のパートナーに心配を掛ける事だけは避けられる。

夏南が琉司のマンションに引っ越すことになったのは八月初旬のとても暑い日だった。じりじりと陽が照り付け、マンションの敷地内の緑地で騒がしいほどの蝉《せみ》の鳴き声が聞こえる。

「夏南さま。お荷物はこれで全てですか?」

これまで住んでいた小さなアパートの一室を引き払い、使っていた家具や家電はすべて処分した。

前もって下見させてもらった琉司の部屋には、生活に必要なものが揃《そろ》っており、夏南の部屋から持っていかなければならないものなど何一つなかったからだ。

「はい。ありがとうございます、稲森さん。重い荷物を運んでいただいて……」

引っ越し荷物として夏南が琉司の部屋に持ち込んだものは段ボール箱数箱程度の衣類。あまりの荷物の少なさに引っ越し業者を頼むほどでもないと、その手伝いを琉司が運転手の稲森に頼んでおいてくれたのだ。

「他に何かお手伝いできることはありませんか?」

「いえ……あの、この通り荷物も少ないですし、もう結構です。お手数お掛けして申し訳ありませんでした」

自分よりかなり年上と思われる稲森は、見たところ四十代後半くらいだろうか。

美しい立ち姿と上品な黒いスーツがよく似合っていて物腰も柔らかくとても紳士的だ。

そんな彼にまるで自分がどこかの令嬢にでもなったかのように丁重に扱われ、夏南は恐縮してしまった。

「いえ。琉司さまより、夏南さまのお手伝いをするよう言われておりましたので。それに、夏南さまは、琉司さまの大事なご婚約者。これからは何か御用がありましたら遠慮なくお申し付けください」

「ありがとうございます。こちらこそ、よろしくお願いいたします！」

深々と頭を下げた稲森に、夏南も深く頭を下げ返した。


一人になった夏南は改めて琉司の部屋を見渡した。

空調の効いた室内は外の暑さを忘れてしまうほどひんやりとしていた。

利便性のよい駅近の一等地にある二十五階建てタワーマンションの最上階の一室。広いリビングダイニングは一面ガラス窓になっていてとても明るく、通じたバルコニーからは街が一望できる。

「こんな広い部屋に一人で住んでるんだ……」

夏南はそう呟《つぶや》きながら稲森に玄関まで運び入れて貰《もら》った段ボールの箱を、予め指示されていた玄関から一番近い洋室に運び入れた。

ほとんど使われていない来客用の部屋だから、と琉司が夏南のために用意してくれた部屋。来客用というだけあり、ベッドや必要最低限の家具は揃えられ、ウォークインクローゼットもある。

部屋は他に琉司の寝室と仕事部屋があり、自由に出入りしていいと言われていたが、さすがに主の留守中に部屋を覗《のぞ》くのは躊躇《ためら》われ、夏南は少ない荷物を全て運び終わると、リビングを抜けキッチンへ足を踏み入れた。

ピカピカの御影石のカウンター、曇り一つないシンク。ビルトインの食器洗い乾燥機もあり、大容量のスライド収納の中にはこれまた高級な調理器具の数々が整えられている。

「すごい……！　お料理なんてしそうもないのに」

とりあえず、一通りの家事をこなすのに道具には困ることはなさそうだと、夏南はほっと胸を撫《な》で下ろした。

広いリビングダイニングにはモノトーンを基調としたダイニングテーブル、壁際にはソファとテーブルが配置されている。

夏南はそっと大きなソファに腰掛けてみた。値の張りそうな布張りのソファの座り心地自体はもちろん悪くないが、慣れないせいかなんだか落ち着かない。

「本当にこんなことしてよかったのかな……」

いくら生活に困っての〝やむを得ない契約〟とはいえ、社会的信用度は高いのだろうが出会って日の浅い男の婚約者になるという自身の軽率さに、夏南の中に小さな後悔の念が生まれる。

その時、床に置きっぱなしにしていたバッグの中のスマホが音を立てた。夏南は慌ててバッグに駆け寄り、相手を確認してからその電話に出た。

「もしもしっ……！」

少し声が上ずったのは、慣れない琉司からの電話に喉の奥が一瞬詰まったからだ。

『ああ、僕だ。引っ越しは？　もう部屋にいるのか』

「はい。ついさっき、稲森さんに手伝っていただいて荷物を運び入れたところです」

『手伝えなくて悪かった。どうしても外せない用件があって』

「あの、それは全然！　荷物といっても衣類だけだったので……」

『何か不自由はない？　もし必要なものがあれば稲森に頼んでおく』

「大丈夫です！　それに必要なものがあれば自分で買いに行けますから」

夏南が答えると、琉司が「それならいい」と電話の向こうで安堵《あんど》した。

『夕方には帰るよ。きみが言ってた例の書類なども渡しておきたいし。そうだ、今夜はどこかで食事をしよう。僕が帰るまでに何が食べたいか考えておいて』

そう言い残すと琉司は慌ただしく電話を切った。

「……忙しい人なんだろうな」

相手はあの高城グループの御曹司だ。分刻みでスケジュールが決まっていて、夏南の想像など及びもしないほどなのだろう。

出会い自体あんなふうであったし〝契約〟などと、とんでもないことを言い出す男だとは思ったが、夏南にも琉司が悪い人ではないということだけは分かって来た。

普段の物腰は柔らかく、育ちの良さを感じさせる。容姿はもちろん、その立ち振る舞いも美しく、夏南はこれまで彼のような魅力的な男性に出会ったことはなかった。

「うまくいくのかな……」

不安でしかなかった琉司との生活ではあるが、引き受けた以上最善の努力をするしかない。夏南は、手にしたスマホをテーブルの上に置き
「とりあえず、荷物だけでも片づけよう！」

そう呟いて立ち上がると、早速荷ほどきを始めた。


約束通り夕方帰宅した琉司と彼の行きつけの店で食事を終えてマンションに戻るや否や、彼が仕事部屋にしている部屋から淡い水色の封筒を手にしてリビングに戻って来た。

「どうぞ。中確認して」

琉司に渡された封筒を受け取った夏南は、ソファに座って中身を取り出すと、書類の内容に目を通した。

この書類はいわゆる〝契約書〟で、パートナー契約に関する取り決め事が記されている。

一通りの契約内容にはじまり、報酬や口約束だけでは後々おざなりになってしまいそうなことも二人の間で思いつく限り細かく取り決めをし、正式な契約書の作成を頼んだのは夏南自身だ。

「何か、不明点や追記したいことは？」

「……いいえ。とりあえずは、これで大丈夫です」

夏南はその内容を隅々まで確認し、そっと書類を閉じた。

「変わっているな、きみは。まさかこんな契約書を作る羽目になるとは」

「取り決めは、最初にきっちりしておかないと」

夏南がきっぱりと答えると、琉司がふっと表情を緩めた。

「まぁ、それには僕も同意だよ。こうして書面に残しておくことはお互いの為にもなる。——で、後々追記事項が出来たらその都度項目を追加していく、ということで問題ないかな？　よければ、ここに判を」

「はい」

夏南は大きく頷《うなず》いて、琉司が指で差し示す個所に判を押した。

「これで、契約成立だな。こっちはきみの控えだ」

「はい」

判の押された契約書を一部ずつ手に取り、正式に契約が交わされたことをお互いが了承した。


「ところで、部屋は全部見たかい？」

琉司が立ち上がってスーツのジャケットを脱ぎ、片手でネクタイを緩めながら訊《たず》ねた。

「あ、だいたいは。キッチンやバスルームは使い方と何がどこにあるか把握したかったので……」

夏南が答えると、琉司が何か言いたそうに眉を動かした。

「口調。なんとかならないか？　僕たちは偽装とはいえ婚約者になったんだろう？　そんなによそよそしい感じじゃ、すぐに怪しまれそうだ」

確かに、恋人らしさとは程遠いと夏南も思った。

「……じゃあ、どうしたら」

「できれば敬語はやめてもらいたいが、いきなりはハードルが高いだろう。僕たちは歳も離れているし、きみが僕に敬語を使ってもそこまで不自然でもない。まずは呼び方かな？　僕の名は琉司だが――琉司、琉司さん……きみはどう呼びたい？」

そう訊《き》かれて夏南は即座に「琉司さんでお願いします！」と答えた。

五つも年上の、まして大企業の御曹司を呼び捨てできるほどの図太い神経を持ち合わせていない。

「じゃあ、僕は夏南と呼んでもいい？　それとも夏南ちゃんのほうがいいか？」

琉司が少しからかうような表情を浮かべたのを夏南は見逃さなかった。

「夏南、でいいです……」

そう答えたのは二十六にもなって〝ちゃん〟もないだろうと思ったのと、彼が名前を呼ぶならやはり呼び捨てのほうが似合うだろうと思ったからだ。

「普段から呼び合えば、そのうち慣れてくるだろう。それに、相互努力が必要といったのは夏南のほうだったね」

さっそく琉司に名前で呼ばれ、夏南はなんともいえない照れくさい気持ちになった。

この歳まで異性と付き合った経験はなく、親しい男友達さえいなかった夏南だ。兄の冬也以外に名前を呼び捨てにされたことなどない。

そんな照れが顔に出ていたのか、琉司に「顔が赤い。可愛いな」などと言われてますます照れくさくなってしまい、頬が驚くほど熱を持った。

「……か、からかわないでください！」

「からかってはいないよ。夏南のことを素直に可愛いと思っただけだ」

——まただ！

さりげなく、躊躇いなくごく自然に名前を呼んでくる。

大企業の御曹司ともあれば、これまで女性との出会いも多かったのだろう。琉司がこうしたことに慣れているように見えるのは、これまた当然のことのように思えた。

「——で？　夏南はいつ呼んでくれるんだ、僕の名前を」

彼のほうはこういったことに慣れているのかもしれないが、夏南は違う。たかが名前、されど名前だ。

「そ、そのうち呼びます……」

「そのうち、っていつ？」

訊ねた琉司が悪戯な表情を浮かべた。

「だから、そのうちですってば……！」

もう嫌だ、この人！　絶対、私をからかって楽しんでいる！

些細《ささい》な事といえば些細な事だが、経験値の差は否めないと夏南は自分の経験値の低さを痛感した。夏南よりずっと大人な琉司がいつまでもそんなことをしているはずもなく、

「まあ、いい。あまり意地悪をして嫌われても困る」

そう言って笑うと、夏南をまじまじと見つめた。

彼の美しく真っ直ぐな視線は少しだけ夏南の心をざわつかせる。

「似合うよ、それ。贈ってよかった」

夏南が着ているのは初めて会った夜、琉司にプレゼントされたブランドものの黒いワンピース。夕方食事に出る際、琉司に着るように言われたものだ。実際彼に連れて行かれた店は、夏南には敷居の高いドレスコードのある店で、普段そういった店に縁のない夏南にとってこのワンピースの存在はとてもありがたかった。

「あの、ありがとうございました。バッグや靴まで揃えていただいて……」

「当然だろう。今日からきみは僕のパートナーだ。これからも必要なものはすべて僕が用意する。それも契約だ」

琉司のパートナーになるということは、今後誰から見ても彼にふさわしいと思われるような女性にならなければいけないということだ。それは見た目も、中身においてもという意味なのだと思う。

夏南は決意を新たにきゅっと唇を引き結ぶと、それを見ていた琉司が微笑みながら夏南

に手を差し出した。

「え?」

「これから、よろしく」

それが握手の為だと分かると、夏南も応じるようにおずおずと手を差し出した。

夏南が出した手を琉司が力強く握る。大きくて温かな手だった。

「こちらこそ……よろしくお願いします」

不思議だと思った。

男性に免疫がなく、触れ合うことはおろか一定距離以上傍に寄られることにさえ恐怖を感じていた自分が、彼の手にこうして触れていても嫌悪感を覚えないということが。

「さてと」

そう言った琉司が夏南の手をそっと離した。

「悪いけど、僕は少し自室に籠る。片づけておかなければいけない仕事があってね」

「あ……はい」

「きみは引っ越しで疲れただろう。そろそろ風呂が沸くころだから、先に入って休むといい」

そう言われてはじめて、帰ってすぐに琉司がバスルームへ入っていったのを夏南は思い出していた。

「あの……私、今日自分の荷物を片付けた他に何もしてなくて……」

琉司の身の回りのことをすることも契約のうちだというのに、今日はその仕事を全く果たしていない。夏南の意図を察した琉司が笑い掛けた。

「そう初日からガチガチにならなくていい。僕は身の回りのことは自分でひととおりできる。何か役に立てることがあるほうが気が楽だと言うからきみに家のことを任せることに決めたんだ。変に気負い過ぎることはない」

「……でも」

「無理に僕の相手をする必要はないし、ここではきみの好きにしていいんだ。好きにしていいっていうのは、もちろん突き放してるわけじゃないし、きみとの時間をないがしろにする気もない。僕たちはこれから長い付き合いになるんだ、最初から無理をしたら疲れてしまう。そう思わないか？」

琉司なりに決して悪い意味ではなく自分たちの在り方を伝えようとしてくれているのが伝わり、夏南は琉司を見つめてゆっくりと頷いた。

「分かりました。じゃあ、お言葉に甘えさせていただきます」

そう言うと夏南は琉司に軽く頭を下げ、リビングをあとにした。


夏南が風呂から上がると、リビングの照明は薄暗い間接照明だけになっていてそこに琉司の姿はなかった。

広いリビングはとても静かで、窓の外には美しい夜景が広がっている。

「綺麗《きれい》……まるで夢の国に迷い込んだみたい……」

こんな高級マンションなんて、一生縁がないと思っていた。

小さなバストイレ付きのワンルームで、どうにか暮らしていくだけで精一杯だった自分が、これからこんな場所で生活していくなんていまだに信じられない気分だ。

「間違ったのかな……」

思わず口から出た言葉をかき消すように夏南は両手で軽く頬を叩《たた》いた。

間違っていようがいまいが、オメガの夏南がこの先の人生を生きていくために自分で選んだ道だ。これまでのように不当な解雇で生活を脅かされるのはもうたくさんだ。

——決めた以上、やるしかない。

夏南は心の中でもう一度決意を新たにすると、その勢いで琉司の仕事部屋の扉をノックした。すると中から「どうぞ」と声が聞こえ、夏南がゆっくりと部屋の扉を開けると、琉司が仕事の手を止めて振り返った。

「どうした？」

「お風呂お先にありがとうございました」

「はは。わざわざいいのに」

「あ、でも。おやすみの挨拶くらいは……と思って」

そう思ってこの部屋を訪ねたのは本当だ。

これから一緒に生活していくのだ。基本的な挨拶くらいは自然にできる関係を築きたい。

扉を全部開けずに、顔だけ覗かせるようにしたのは、何年も愛用している少しくたびれた部屋着を琉司に見られたくないという年頃の娘相応の乙女心だ。

「お仕事まだ掛かるんですか?」

「ああ……あと少しね。でも、もう終わるから、きみは気にせず先に休んで」

高城グループの跡取りともなれば、その仕事量も夏南の想像を遙《はる》かに超えるもののはずだ。ましてや、今日は夏南のために早めに仕事を切り上げて帰って来てくれたのだ。邪魔をしてはいけない。

「そうですか。それじゃあ……」

そう言って夏南が部屋から出ようとすると、琉司が夏南を呼び止めた。

「どうかしましたか?」

「悪いが、冷蔵庫からミネラルウォーターを持って来てくれないか? 少し喉が渇いた。何本かボトルが入っているはずなんだ」

「分かりました。ちょっと待ってくださいね!」

そう答えた声が少し弾んだのは、初めて琉司に用事を頼まれたからだ。こんな子供の手伝いのような些細なことでも彼の役に立てると思えば嬉しいものだ。

夏南が言われた通りペットボトル入りの水を手渡すと、琉司が「ありがとう」と言ってそれを受け取り、その口を開けながらじっと夏南を見つめた。

「……なんですか?」

「いや。ちょっと頼みごとをしただけでやけに嬉《うれ》しそうにするなと思って」

「あ——はい。私にできることがあるなら嬉しいです。ただでさえ好条件の契約ですから、それに見合うぶん少しでも働かなきゃと思ってます！」

「真面目なんだな」

「そんなことないですよ。それでなくてもこんな素敵なお部屋に置いてもらえるなんて私には贅沢《ぜいたく》過ぎるから」

「ここが、いい部屋？　いくつか部屋を持ってはいるが、ここが一番手狭なくらいだ」

彼の言葉に、夏南は一瞬返す言葉を失った。

「これで、手狭なんですか⁉　私が住んでた部屋の何十倍あるか……」

広さだけでなく、価格の上においてもその比ではないはずだ。

夏南が心底驚いた表情で琉司を見つめると、琉司が夏南の比較の対象がツボに入ったのかさも可笑しそうに笑い出した。

「きみはおもしろいな」

大企業の御曹司ともなればこれくらいの部屋は驚くほどでもないということか。夏南のような庶民には想像が及ばない世界で琉司が生きているということだけは理解できた。

「この部屋、気に入った？」

ひとしきり笑い終えた琉司が優しく訊ねた。

「もちろんです！」

「そうか、だったら良かった。明日から好きに使っていいから。どこをどんなふうにしてくれても構わないよ。きみが使いやすいようにしてくれたらいい」

これは琉司なりの気遣いなのだろう。夏南のすることに関心がないとかそういうことではなく、たぶん本当に夏南にとって快適な生活になるように、という。

「はい。ありがとうございます」

「他に何か聞いておきたいことはある？」

「じゃあ……ひとつだけ」

「どうぞ」

「食べ物で、何か嫌いなものや苦手なものはありますか？　明日からお食事の用意とかもしたいので……」

「いや、特にないよ」

琉司の返事に、夏南はずっと気になっていたことを口に出した。

「普段……どういったものを召し上がっているんですか？　私、料理はわりと得意なんですけど、なんていうか……あなたのような富裕層の方々がどんなもの食べてるのか見当もつかなくて」

失礼な質問かとも思ったが、本当に皆目見当もつかないのだからあえて聞くしかない。

「普通だよ。なに？　毎日ナイフとフォークで気取った食事してるとでも思った？」

実はちょっと思っていた、と本音を零すと琉司がまた可笑しそうに笑った。

「どんなイメージ持たれてるんだろうな。僕だって大学入学と同時に家を出てからは、ごく普通にここよりずっと狭いワンルームマンションで独り暮らしをしてたし、一通りの家事もこなしてた。友達とファミレスや定食屋で食事をすることもあったたし、むしろ家庭料理なんかは好物だよ」

「え、そういう普通のお店なんかも行かれるんですか⁉」

「だから。僕を何だと思ってる？　いまだって時々一人ラーメンや一人牛丼くらいする」

琉司の意外な答えに、今度は夏南が笑い出す番だった。こんな美しい容姿で上品なスーツを完璧に着こなした男が、そういった店に一人で居たらその場違い感は相当なものだ。

「……全然イメージ湧かない」

夏南がいつまでも笑っているのを琉司がどこか嬉しそうに見つめている。

「しいて言うなら和食が好きだ。随分前だけれど、時々ここに来てくれていた家政婦の田舎料理が好きだった」

「本当ですか？　私、そういうのなら得意です！」

「はは。それは、楽しみだ」

琉司の言葉に夏南は心からほっとしていた。彼のために自分ができることはそう多くはないが、少なくとも食の好みが大きく相違していないということは大きな安心材料となる。

「あの、頑張ります！　……それじゃ、これで。お仕事の邪魔をしてしまってすみませんでした」

「いや。いい息抜きになった」

「おやすみなさい」

そう小さく礼をして部屋を出ようとした夏南の後ろ手を、ふいに立ち上がった琉司がそっと摑《つか》んだ。

「発情期でないいきみに僕から触れるのはアリ？」

「え？」

触れる、とは？　夏南の頭の中で疑問符がくるくると回る。

「それはどういう……」

その意味を問おうとした瞬間、夏南の前に大きな影が差したかと思うと、次の瞬間には夏南の身体は琉司の腕の中にすっぽりと包まれていた。

「さっき、頼みごとをしたら嬉しそうだったろう？　だったらもっと何か頼んだほうが良かったかと思って」

「はぁ……」

その頼み事と、いま夏南が彼の腕の中に包まれていることに何の関係があるのだろう。

そんなことを考えているうちはよかったが、冷静に自分の置かれている状況を把握するうちに、琉司の体温や吐く息の温かさを身近に感じて急に落ち着かない気持ちになる。

「あ、の……？」

琉司の行動の意図を測りかねて、なんとも情けない声を絞り出した。

「僕たちは契約パートナーだが、普段からそれらしくと僕が言うのにはきみも同意だったね？」

「あ、はい。確かに……」

「じゃあ、問題ないな」

そう言った琉司が少し身体を離し、夏南を真っ直ぐに見つめた。

改めて真正面からみる彼の美しさに圧倒された。夏南は自分が置かれているこの状況すら一瞬頭の片隅に飛んで行ってしまうほど、彼に見入ってしまっていた。

涼し気な切れ長の目に、すっと通った鼻筋。ほどよく厚みのある唇。どれをとってもその完璧な顔のパーツがシンメトリーに配置された見事なまでの美形だ。

その顔がだんだん近づいて、判別不能なまでの至近距離まで来た時、柔らかな髪が夏南の額に触れたかと思うと、温かな濡《ぬ》れた感触が夏南の唇をそっと覆った。

その瞬間、まるで微弱の電流が走ったかのように夏南の身体が痺《しび》れた。その痺れに反応した驚きでバランスを崩し、膝から崩れ落ちそうになった夏南の身体を琉司の腕が力強く支える。

「……ん、っ」

——熱い。彼が触れたところ、全部。

直接触れている唇ばかりか、支えられている腰までも。部屋着を通しているにも関わらず、まるで発情期のように身体の奥から湧き上がって来る熱に戸惑いながらも、彼を突き放すことができない。

「……琉司さ……待っ」

必死に彼の身体を押し返すと、ようやく唇を離した琉司がどこか艶のある笑みをたたえて言った。

「キスだけでそれか……次の発情期が楽しみだな。夏南」

さっきまで『きみ』に戻っていた呼び方が、再び名前になっていた。

こんな場面で恋人のように名前を呼ぶなんて狡《ずる》い。

熱くなった身体と、速くなったままの鼓動。それを悟られないよう恥ずかしさから顔を隠そうとすると、琉司の腕がそれを阻んだ。

「嫌だった？」

「……っ」

嫌じゃ、なかった。それどころか、心の片隅でもっと先を望んでしまったことに夏南は恥ずかしさで逃げ出したくなっていたのだ。

「名前も呼んでくれた。そのうち、って言ってたわりに意外と早かったな」

「……なんで、そういうこと！」

気付いていたとしてもさりげなく流してくれればいいのに、どうして敢えて口に出して問うのだろう。

「そうだな。たぶん、夏南が恥ずかしがってる顔を見るのが好きなのかもしれない。初めて会った夜も夏南が恥ずかしがれば恥ずかしがるほど昂《たかぶ》ったな」

「だ、だから、そういうこと……！」

どうやらわざと夏南の反応を楽しんでいるようだ。この人は優しい顔をして随分と意地の悪いことをする。

「おやすみ、夏南」

琉司がそう言って腕を離し、そのまま夏南を自室へ促すようそっと背中を押した。

薄暗いリビングを抜け自室に戻った夏南は、扉を閉めるなりその場にへたり込んだ。

未だ煩いくらい激しく鼓動を刻む心臓。頬がありえないほどの熱を持ち、その背中にはまだ彼の手のひらの温もりが残っている。

「……もう、なにこれ」

あれほど、男性に恐怖心を持っていた夏南が、どうして琉司に触れられることは平気なのだろう。どうして彼に触れられると、こんなにも胸がドキドキするのだろう。

4

夏南を部屋に帰したあと、琉司は大きく息を吐いた。

夏南の手前、何でもないふうに冷静に振舞ったつもりだが、内心自分の中に湧きあがった欲情を制御できたことに安堵《あんど》していた。

「キスだけで、とか……誰のこと言ってんだって話だ」

キスだけで済ませなくなりそうだったのは、むしろ自分のほうだ。

夏南は琉司以外の男を知らないし、応える姿勢はとても拙く、こちらが焦れて歯痒《はがゆ》いくらいである。その慣れていない感じが男の支配欲を煽《あお》るのか。

不思議ではあるが、やはり彼女には特別なものを感じる。

発情期ではない彼女からオメガのフェロモンは一切感じなかったが、それとは違う何かが琉司を惹《ひ》きつける。少しでも触れてしまえば、それを上回る欲が出る。

——なぜだろう?

彼女の何が自分にとって特別なのだろうか。

琉司は夏南が持ってきたボトル入りの水を手に取り、その中身を一気に飲み干した。

琉司が両親に夏南のことを話したのは、夏南が契約を受け入れてくれてすぐのことだった。

半年という無茶な期限を定めたのは父の正道のほうだが、それから一カ月もしないうちに琉司が相手を見つけたということに一番驚いていたのは正道本人だった。

「早くその相手に会わせろ」と言われてはいたが、仕事が忙しい正道がようやくその時間を作れたのは、夏南が琉司の部屋に引っ越して半月ほど経った頃だった。ちょうど世間が早い盆休みに入るタイミングで、正道の仕事も一段落する時期であったからだ。

＊　　＊　　＊

「……き、緊張する！」

琉司があつらえた両親世代に受けの良さそうな清楚《せいそ》な桜色のワンピースに身を包んだ夏南が、両手を小刻みに震わせながら小さく呟《つぶや》いた。

車の窓から見える美しい景色も夏南の目には入っていないようだ。

余程緊張しているのだろう。先程から琉司の隣でぶつぶつと独りごとを言いながら、手のひらに何か文字を書いては飲み込むことを繰り返している。

琉司はそんな夏南の手をそっと包み込んだ。

「大丈夫だ、夏南。リラックスして」

「それができないから困ってるんです」

夏南にとって、琉司との契約を交わしてから初めての仕事。

琉司の両親との顔合わせという大一番を迎えようとしているのだから、緊張するのは無理もない。

「夏南のことは前もって話してあるし、両親も喜んでくれている。本当に心配ないから」

という琉司の言葉さえ、彼女にとってたいした気休めにはなっていないような余裕のない夏南の姿が心配でもあったが、琉司には妙な自信があった。

これまでにも何度か父の正道には、見合い相手をあてがわれてきた。——が、それは琉司の特異体質のせいで上手くいった試しはなく、そう言った意味で夏南は自分の体質にも合う初めての女性だと何度も正道に主張してきた。

何より琉司がパートナーを持ち、世間的に認められるグループの後継者になることを望んでいる正道のことだ。懐柔はそう難しくはないと琉司は踏んでいる。

「着いたよ」

琉司が声を掛けると、夏南が不安そうな表情をさらに強めて琉司を見つめ返した。

「なんて顔してるんだ。大丈夫だから」

そう言い聞かせるように言うと、夏南は目を閉じ大きく息を吐き出してからきゅっと唇を引き結んでドアを開けた稲森に促されるように車を降りた。

「はじめまして。藍沢夏南と申します」

覚悟を決めた夏南は意外にも堂々としていた。先程まで両手の震えを必死でこらえていた頼りなげな姿が嘘《うそ》のようだ。

顔合わせは家族がよく食事に利用している父の贔屓《ひいき》のレストランの個室で行われた。

「はじめまして、琉司の父です。夏南さんのことは息子から聞いているよ」

「こちらこそ、お父さまのことは琉司さんから伺っております。お目に掛かれて嬉《うれ》しいです」

受け答えも堂々としたもので、そんな夏南が意外だったのか父が彼女を見て目を細めた。

「ねぇ、父さん。堅苦しい挨拶とかやめようよ。夏南さん、緊張するだろ」

早く自分にも喋《しゃべ》らせろといわんばかりに、父と母の横から口を挟んだのは駆だ。

駆のこういった無邪気さは、場の空気を和やかにする。

「確かに、そうだな。夏南さん、今日は楽しい時間を過ごしましょう」

そう言って正道が夏南を席に促し、琉司もそんな夏南に寄り添いサポートした。

顔合わせは昼食を取りながら和やかに進んだ。両親が夏南の家族のことを訊《たず》ねたり、学歴や職歴を訊ねたりしたが、夏南はそれらひとつひとつに丁寧に答えていく。場の雰囲気も解れて来た頃、駆が興味津々と言った様子で夏南に訊ねた。

「ねぇねぇ、兄さんとはどうやって知り合ったの？」

「あら、それ私もお聞きしたいわ」

母の頼子も、興味深そうに夏南を見つめて言った。

「実は私……先日プレミアムホテルで募集されていた求人の面接を受けていたんです。その帰りに体調を崩してしまったところを琉司さんに助けていただいたのがご縁で……」

出会いのエピソードはできるだけ正直に、と二人でその経緯を考えた。

「僕が、夏南に一目惚《ひとめぼ》れしたんだよ。その日のうちに連絡先を聞いて、猛アタックしたんだ」

「琉司さんが？　猛アタック？」

家族の皆が驚いた顔をしていたが、なかでも一番驚いた顔をしていたのは頼子だった。

「それ、いつの話？　この間会ったときにはそんなこと一言も……」

この間、とは正道が琉司に無茶な条件を出して来たその日だ。

「ああ。あの時はまだ彼女に出会ったばかりで、付き合ってもらえるとか、ましてこんなふうに紹介できるなんて思ってもみなかったから……」

猛アタックというにはいささか語弊はあるが、琉司が彼女に無理を言った結果契約を結んだのだから、意味こそ少し違うがあながち嘘というわけでもない。

契約のことは当然伏せるにしても、なるべくボロが出ないようにと、琉司自身が綿密にエピソードを練り、夏南にも納得してもらったのだ。

「兄さんが、自分から女の子追いかけるとか意外！　一体どうしたのさ？」

そう茶化したのは駆だ。もちろん、そんなこともある程度想定済みだ。

「そう言うな。自分でも意外だと思っている」

「だって兄さん凄くモテるのに、今まで誰にも本気にならなかったじゃん？　どういう系統の女の子がいいんだろうって思ってたけど、夏南さんみたいな人がタイプだったんだ」

駆の言葉に、夏南が横でなんともいえない居心地の悪そうな表情をした。

正直、家族の前でこういった話を突っ込まれるのはなんとも微妙な気分ではあるが、ここは正々堂々とした姿勢で、夏南とのことをすんなり認めてもらえることに徹するべきであるのは分かっている。

「清楚系っていうの？　兄さんに群がってくる女の子たちって、どっちかっていうと肉食系だったもんね」

「余計な話はしなくていい。――素直に認めるよ。夏南がタイプだった。タイプどころかどストライクだった。だから必死で口説き落としたんだ。それで間違いない」

「……ほぉ、言うなぁ」

琉司の言葉に、父と駆が顔を見合わせて苦笑した。

人の、ましてや身内の惚気《のろけ》話など、聞いていられたものではないのだろう。

だが、それが却ってよかったのかもしれない。父も駆も初めから夏南に対しては好意的であったたし、自分の言葉によって、二人が夏南を受け入れてくれたことを琉司は確信した。

「夏南と結婚するよ、近いうちに」

「琉司がそこまで言うのなら、まぁ間違いないのだろう。私は余計なことは言わんよ。おまえに自分で相手を見つけろと言ったのは私だしな」

「あなた、いつの間にそんなこと……?」

「おかしなことじゃないだろう? 琉司もいい歳だ。家族を持つことはなんら不思議なことじゃない」

「でも、あなた……いきなり結婚だなんて! まだお付き合いされて日も浅いんでしょう? そんな早急に事を進めなくても……」

「これまでどんな相手をあてがってもダメだったんだ。琉司がやっとその気になったことは喜ぶべきことじゃないか」

「……」

頼子は少し納得がいかない顔をしていたが、頼子の隣に座った駆が嬉しそうに言った。

「俺は賛成だよ! 仲良くしようね、夏南さん」

そう言われた夏南は少し戸惑いの表情を琉司に見せたが、琉司が「大丈夫」と笑い返すと、安心したように笑顔を返してから、駆にも「よろしくお願いします」と頭を下げた。

その後も食事会は和やかに進み、両親との初顔合わせを終えた夏南に琉司は優しく声を掛けた。運転手の稲森が玄関前に車をまわしてくれるのを外で待つ間、少し疲れの見える夏南の頬に触れた。

「疲れた?」

琉司が訊ねると、夏南が考えるように視線を泳がせて少し遠慮がちに「……はい」と答えた。

「はは。素直でいい」

「……私、ちゃんと恋人らしくできてましたか？」

「もちろん。想像以上だったよ。あんなに緊張していたのに……きみは本番に強いタイプのようだな」

「そんなことないです。引き受けたお仕事だし、とにかくやり遂げないとってことで頭がいっぱいで……」

口ではそう言っているが、仕事でなくとも彼女なら何事も真面目に一生懸命取り組むだろうということが、普段の彼女を見ていれば分かるようになった。

一緒に暮らし始めてまだ半月ほどであるが、家のことはほぼ彼女に任せっきりだ。

仕事が多忙を極めていた頃に週に何度か家政婦を頼んでいたが、その頃よりもはるかに部屋は清潔に保たれているし、なにより彼女の作る食事はとても美味しく、琉司の腹を心地よく満たす。

夏南は空気を読むことにも長けていて、琉司の仕事の邪魔になるようなことは絶対にしないし、何かを押し付けてくるようなこともない。

琉司がリビングで寛いでいる時には、傍で一緒にテレビを見たりすることもあるが、一人で本を読んでいることもあるし、キッチンで何かしていることもある。

いい意味でお互いに好きなことをして過ごす、そんな理想的な生活ができているのはきっと彼女の気遣いによるものだ。

「堅苦しい思いをさせたお詫《わ》びに、気晴らしをしないか？」

そう琉司が言うと、夏南が目を丸くした。

顔合わせという手前、時間を掛けて昼食を取っていたが、まだ三時前だ。彼女に気晴らしをしてもらう時間は充分にある。

「でも、琉司さんこのあとお仕事があるんじゃ……」

「今日は一日休みだ。たまにはデートでもしよう」

「え、デート……!?」

「何を驚いてるんだ？　デートくらいするだろう、恋人同士なんだから。夏南は何がしたい？」

そう琉司が訊ねると、夏南が「ええー？」と戸惑いながらも嬉しそうな表情を見せた。その輝くような笑顔に、提案したデートが彼女にとって気が進まないことではないと分かってほっとする。

「琉司さんは？　何がしたいですか？」

「僕はいいんだよ。今日のお詫びだから夏南のしたいことで」

「……あの、私。デートとかしたことないんです」

夏南が琉司を見上げながら、恥ずかしそうに呟いた。なんとも予想外の言葉に琉司も思わず訊ね返す。

「え、一度も？」

「はい。一度も」

　確かに以前男性経験がないと言っていたのは覚えているが、まさかそれ以前のデートすらしたことがなかったとは、さすがの琉司も驚いた。

　こんなに可愛らしいのに——。

　そう思ってから、冷静に考え直した。きっとそれどころではなかったのだろう。

「だったら尚更夏南の希望を言えばいい。初デートなんだろう？　どこでも付き合うよ」

「でも……」

　言い淀《よど》んでいるところをみると、希望がないというわけではなさそうだ。

「なに？　なんでもいいって言っただろう？　言ってみて」

「……遊園地」

　夏南がそう言って、琉司と目が合った瞬間「あ、やっぱいいです！」と慌ててそれを否定した。

「どうしていいとか言うんだ。行きたいんだろ？　遊園地」

「……だって、子供っぽい」

「そんなことないだろう。大人だって遊園地デートくらいする。……となると、この格好じゃさすがに浮くか。どこかで服を調達しよう」

そう言うと琉司はちょうどタイミングよく琉司たちを迎えにやって来た稲森の運転する車に乗り込んで、行き先を告げた。

これが初デートだという夏南は、オメガに生まれたことで、他の属性から必要以上に性的に見られることが多くなり、危険な目に遭ってきたのだろう。そのせいで特に男性に警戒する習慣がつき、まともな恋愛ができなかったのかもしれない。

それに関しては、琉司自身も似たようなものだった。

そもそも恋愛というものに興味がなかったし、心惹かれる相手にも出会えたことがなかった。学生時代友人たちとのグループデートに参加したり、父親に紹介された女性と何度か食事をしたことはあったが、まともに相手が望むデートをするのが初めてだという点では琉司も同じだった。

琉司は学生時代から通う行きつけのセレクトショップでカジュアルな服を選び、夏南にも同様に好きな服を選ばせ、それに着替えると再び待たせていた車に乗り込んだ。

稲森にタクシー代を渡して先に帰らせたのは、初デートの夏南に運転手付きという状況はあまりにムードがなく配慮に欠けると思ったからだ。


市街地から小一時間ほどのところにある海岸沿いの遊園地に到着すると、琉司は夏南とともに車を降りた。海が近いということで、ほんのり潮の香りがする。

車を降りた夏南は、さっそく遊園地の入り口の前で目をキラキラさせている。

「わぁ……！」

とても分かりやすく表情が変わる女性だと思う。しかもそれが計算などではなく、感情に直結していることが見ていて手に取るように分かるのがまた面白い。

「行こうか」

「はい！」

そう返事をした夏南が、ゲートを抜けてすぐの場所で上を見上げ轟音《ごうおん》とともに頭上を猛スピードで走り抜けて行く絶叫マシーンを目で追いながら心底驚いた顔をしている。

「遊園地は初めて？」

「あ、いえ……小学生くらいのころ家族で来たきりで」

「僕も小さい頃連れて来られて以来だな。あの頃はこんな絶叫マシーンなかったしなぁ」

「ですよね」

遊園地のアトラクションは日々進化している。

琉司が高城家で暮らすようになって、正道は今と変わらず仕事で忙しかったし、たまにこういった場所へ連れて来られたのは駆が生まれてからだと記憶しているが、その頃はまだ琉司のあとをついてまわる幼い駆の相手で手一杯だった。

「凄い……！」

夏南が遠ざかった絶叫マシーンから聞こえてくる悲鳴と、レールが物語る高低差や回転を見て足を止めた。遠ざかった悲鳴はまた近づいてきて、自分たちの頭上を通り過ぎる。

「ああいうの、苦手？」

「いえ、好きです！　でも……あんな凄いの乗ったことないから」

「苦手じゃないなら、チャレンジしよう。せっかく来たんだ」

「琉司さんは、平気なんですか？」

夏南が遠慮がちに訊ねたので、ここまで来て今更なにを遠慮しているのかと「苦手ではないと思う」と夏南の手を取った。

「行こう」

そう言って手近なアトラクションの列の最後尾に並んだ。ちょうど早い夏休みに入ったばかりのような家族連れやカップルがその列のほとんどを占めている。

「結構待つのか。貸し切りにでもすればよかったか」

何気なく呟くと、夏南が「ええっ⁉」と驚いた声を上げてからふっと笑った。

可愛らしい笑顔だと思う。感情に素直で、頬がほんのり色づいて、その柔らかな笑顔はどこか琉司の心を癒す。

「それ、贅沢《ぜいたく》過ぎますから！　琉司さん、こういうとこいつも貸し切りにしてるんですか？」

夏南が無邪気に訊ねた。

「いや、そういうわけじゃないが……」

「貸し切りにしたら勿体《もったい》ないですよ！　私、こういう場所って、人が多くて賑《にぎ》やかだからこそ楽しいんだと思うんです。待ってる間も期待でワクワクするし！」

なるほど、と思った。

そういう考え方をすればこうした長い行列を待つことも、楽しい時間までのカウントダウンだと思えばその楽しみも期待も増す。

琉司は夏南と手を繋《つな》いだまま、同じ列に並ぶ人々の幸せそうな笑顔を眺めた。家族、恋人、友達、いろいろな関係性で繋がる人々が、その時間を楽しんでいる。

――確かに、そうだな。

自分と彼女も傍から見れば本物の幸せそうな恋人同士に見えるのだろうかなどと考えていると、夏南が繋いだ手をモゾモゾと動かした。

「どうかしたのか？」

そう訊ねると、夏南が周りを窺いながら恥ずかしそうにその手を離した。

「なに、どうした？」

「……あ、いや。琉司さん、目立つから。さっきから周りの視線が気になって」

琉司にとって世間的立場や容姿から他人の視線を集めることは日常だが、夏南にとってはそうではないらしい。

「恥ずかしい？」

「私が……っていうより、琉司さんが恥ずかしいんじゃないかと思って。ほら、私じゃなんだか吊《つ》り合わないですし」

夏南の言葉に、琉司は離された手をもう一度敢えて人に見えるように繋ぎ直し、彼女が自分の特別な女性なのだと誰が見ても分かるよう指を深く絡めた。

「なにそれ」

いつの間にか自然に名を呼び合うようになり、琉司の生活の一部に溶け込みつつある夏南が、彼女自身の価値を低く評価することに対してなぜか苛立つような気持ちが湧き上がった。不思議な苛立ちだった。自分が評価しているものを、まるで他人に貶《けな》されているようで――。

「恥ずかしいわけないだろ。夏南を選んだのは僕だ」

出会いは偶然だった。きっかけは、確かに少し変わっていた。

けれど、あの夜出会ったのが夏南でなければ、たぶんいまこうしてパートナー契約など結んではいなかった。

それだけはきっと確かなことだ。なのに、そういう気持ちをどう夏南に伝えてやればいいのか琉司自身もそのやり方が分からないのがもどかしい。

「あの……琉司さん？　私なにか気に障ること……」

「ごめん、怒ったわけじゃない」

そう言って繋いだ手を再び強く握ると、それに気付いた夏南が琉司の手を遠慮がちに握り返した。

――不思議だ。

特別なのは繋げた身体だけでなく、こうした手の温もりの心地よさや、安心感もだ。

彼女の傍にいると、これまで経験のなかった感情が突如湧き上がってくることがある。


夏南との遊園地デートは、琉司にとっても想像より遙かに楽しかった。

はじめのうちこそ、初デート特有の慣れない雰囲気に戸惑うこともあったが、そんなぎこちない空気はいつの間にか吹き飛んでしまった。

夏南のほうはどうかと思えば。

「琉司さん！　次、あれ乗りませんか？」

そのキラキラとした瞳と表情が全てを物語っていた。

小さなジェットコースターから徐々に慣らしていき、最後はこの遊園地最速にて最恐の絶叫マシーンまで、そのほとんどを制覇した。

「……さすがに、これはヤバい」

こういったアトラクションに苦手意識はない琉司だったが、最後の絶叫マシーンを降りた瞬間、膝が砕けるような感覚が襲い、その場にへたりこんでしまった。

「琉司さん……!?」

「ヤバい。膝に来た……」

情けない声を漏らすと、夏南が慌てて琉司の脇に入り、その華奢《きゃしゃ》な身体で琉司を支えた。細い身体に似合わず、意外にも力強い。

それから近くにあったベンチに琉司をそっと座らせると「ちょっと、待っててくださいね」と言って、少し離れたところにある自動販売機まで走っていき、飲み物を買うと息を切らして戻って来た。

「大丈夫ですか？　気分悪いならこれ……」

夏南が水の入ったペットボトルのキャップを開け、琉司に差し出した。

「顔色悪い……。ごめんなさい。私、はしゃぎ過ぎて無理させちゃいましたよね」

そう言った夏南のほうがはぁはぁと少し苦しそうに肩で息をしていて、それが逆に気になってしまった。琉司を心配してのことだとは分かっているがそんなに必死に走って戻ってこなくてもいいのにと思いながら、自然と頬が緩んでくる。

「いや。無理なんてしてないよ、僕も楽しかった。最後のやつはちょっと予想以上だったというか……少し休めば平気だから」

琉司は彼女から受け取った水を飲んで、ベンチにもたれると息を吐いた。

「ごめんなさい」

ベンチの傍らにしゃがみ込み、琉司の顔色を不安げに覗《のぞ》き込んでいる夏南の姿がますます小さく映る。

「だから、謝ることない。心配しないでいい。すぐよくなる」

事実、酷い乗り物酔いというわけではなかった。

陽が落ちて昼間に比べて人気《ひとけ》も少なくなった遊園地に通る風が涼しく心地いい。

「夏南、そんなところにしゃがんでたら足が痛くなる。隣、空いてるから」

そう言って夏南を自分の隣に座らせると、琉司はそのまま夏南の膝を枕代わりに寝転んだ。

「しばらく、膝貸して。横になりたかったんだ」

「……いいですけど、痛くないですか」

「いや。いい気分だ。これもデートっぽいだろう？」

思えばこんな甘酸っぱいことをしたのも、ましてや自分からそれを言い出したのも初めてのことだ。

柔らかな彼女の膝を枕代わりにしながら見上げると、案の定そこで彼女と目が合った。大きな瞳、伏せた長い睫毛《まつげ》が、不安そうに揺れている。

「気分が良くなったら、帰りましょう。あんまり遅くなってもいけないし……」

遅いといっても、まだ七時を少し過ぎたところなのに、早々にこのデートを切り上げることを考えている夏南のそれが自分に対する気遣いなのは分かっているが、この楽しかった時間が終わってしまうのか、と琉司はこのデートの終わりを名残惜しく思っていた。

「……腹、減ったな」

「あ、そういえば……もういい時間ですもんね！　確か、あっちのほうにレストランとかあった気が。屋台みたいなお店もいくつかあったので、そういうのでもよければ買って来ましょうか？」

夏南が慌てて立ち上がろうと腰を浮かしたので、琉司はそんな夏南の手を引いて再びその場に座らせた。

「こら、枕は動かない！　それに、夏南は僕の恋人であって使いっ走りじゃない。何か買いに行くなら二人で行けばいい」

琉司の言葉に夏南がゆっくりと身体の力を抜いた。

もう少しこのまま。もう少しだけこの時間が続くといい。誰かと過ごしてそんなふうに思うことは初めてだった。

「腹ごしらえをしたら、最後に観覧車に乗って帰ろう」

「え？」

「好きだろ、女の子は。デートで観覧車」

ましてや相手が喜びそうなことをしてあげたいなどと思うことも。

琉司の予想通り、夏南はその提案に嬉しそうな笑顔を見せた。

次第に薄暗くなる園内に明かりが灯っていく。色鮮やかなイルミネーションが昼間の賑やかだった印象をがらりと変える。

「夜になって、風が出てきましたね……」

夏南がそう言った瞬間、彼女の髪がふわりと風に揺れた。昼間の熱を纏《まと》ったままの湿った生暖かい風が肌を撫《な》でて行く。

琉司は夏南が風で乱れる髪をそっと片手でおさえる様子を見上げながら、ゆっくりと目

を閉じると、夏南の細い指が琉司の髪を梳《す》くように撫で始めた。その心地よさにうとうととまどろみ、はっと目を覚ました時には辺りはもう真っ暗になっていた。

「目が覚めました？」

「ごめん……どれくらい寝てた？」

「ほんの十分くらいですよ」

「ごめん」

「どうして謝るんですか？　あんまり気持ちよくて私も少しうとうとしちゃうとこでした」

琉司は夏南の膝から頭を離し、ゆっくりと身体を起こしてベンチにもたれ直した。いろいろと信じ難いことが起こっている。自分がこんな人目につく場所で、しかも他人の膝を借りたまま子供のように気を抜いて眠ってしまうなんて。こんなことはこれまで一度だってなかった。

「お腹すきましたね。何食べて帰りましょうか」

「退屈じゃなかったか……？」

デート中にその相手を放っておいて眠ってしまうとか。

しかも人生初のデートの夏南相手に、とさすがに自己嫌悪に陥りそうになった琉司を救ったのはなんとも予想外な彼女の言葉だった。

「琉司さんが寝てる間ですか？　寝顔眺めてニヤニヤできたので意外と楽しかったです」

「なんで夏南が僕の寝顔でニヤニヤするんだ」

「大人の男の人の寝顔見る機会なんて滅多にないじゃないですか。ていうか、初めてかも……！　なんだか新鮮で」

「見ようと思えば毎日見れる環境にいるくせに」

「え？」

「毎日一緒に寝たら、それこそ見放題だろう」

琉司の言葉に夏南が一瞬目を見開いてから、顔を真っ赤に染めた。

「ははは！　顔、真っ赤」

「もう！　そういうこと言わないでください、恥ずかしい……」

「何で、可愛いのに」

可愛いと言った瞬間、夏南がますます顔を赤らめて、それをもっと近くで見ようとしたら思いきり顔を隠された。

本当に不思議だ。彼女といると自分でも気付かなかった感情に気付かされる。こんなふうに、相手の恥ずかしがる顔や喜ぶ顔、怒った顔――知らない顔をもっと見てみたいという欲が出る。

誰にも興味がなかったはずなのに、彼女のことはもっと知りたいと思う。

いつの間にか芽生えたこんな感情を、一体何と呼ぶのだろう。

5

最近の夏南は、どうにも落ち着かない日々を過ごしている。

琉司の家族との顔合わせという任務を無事に終え、彼に連れられて行った遊園地デートのあとから琉司の顔を見るたびに胸がドキドキして仕方がない。

二人での生活は夏南が思うに上手くいっている気はする。

契約という決め事から成り立っている関係ではあるが、琉司はいつだって夏南に優しい。その優しさがあまりに自然で、それが自分に向けられる本物の優しさだと勘違いしそうになる。どこまでが契約の範疇《はんちゅう》の優しさで、どこからが彼自身の素の優しさなのか。その境目が分からない。

買い物に出た帰り、夏南は信号待ちの最中街頭のテレビモニターに映し出された映像に何気なく目を留めた。八月の強い日差しに、噴き出る汗。首に伝う汗をハンカチで拭いながらモニターを見上げた。

《それでは続いてのニュースです。大手国内ホテルチェーンで知られる高城グループの高城社長が——》

ちょうど午後の情報番組の模様が映し出されていて、高城グループが新たに手掛ける大型リゾート事業に関する報道がなされているところだった。

テレビのモニターには、グループの代表である正道が映し出され、その背後に琉司の姿もあった。

テレビ越しに見る彼らはどこか夏南の知っている実物と印象が違って見える。

「……凄いな」

これまであまりビジネス関係のニュースに関心がなかった夏南は、高城グループの存在こそ知ってはいたが、彼らが度々テレビや雑誌などのメディアに登場するような著名人だということはほとんど認知していなかった。

こうして外側から彼らを見ていると、琉司と偶然知り合わなければ——ましてや彼にあんな提案をされなければ、自分には一生関わりのない遠い人たちだったのだということを改めて実感する。

「まさか、私があんな人の婚約者だなんてね……」

本当に冗談のような話だと夏南自身も思う。

気付けばテレビモニターは、全く違う話題へと切り替わっていた。夏南は青になった信号を確認し、ゆっくりと歩き出した。信号を渡り切る手前で軽い眩暈《めまい》に襲われたが、午後になって一段と強くなった日差しのせいもあるのかもと、どうにか信号を渡り切った。

「……早く帰らなきゃ」

眩暈の原因には心当たりがある。

すでに月の半ばを過ぎた今、そろそろ発情期に差し掛かる時期なのだ。そのことを察していた夏南は、朝から抑制剤を服用している。

――大丈夫。家まであと少しだもの。

ふらりとする身体をどうにか立て直し、夏南はゆっくりと歩き出した。

マンションまではあと数百メートルほどあるが、タクシーなどを利用するより駅からマンションへ直接続くデッキを歩いて行く方が近道だ。

あと少し、あと少しと自分に言い聞かせてマンションまでの道を歩いて行く。すでに発情の兆しが出始めているのか、すれ違う人たちの視線を強く感じるようになった。

いつ、誰に襲われるかもしれないという危機的状況に陥る恐怖に夏南の身体が竦《すく》む。

「抑制剤飲んでるのに……」

年齢を増すごとに発情の症状が酷くなり、薬を飲んでもあまり効果がないことを実感している夏南にとって抑制剤はもはや気休めでしかないのだが、それでも何もしないよりはいくらかマシだ。

次第に重くなる身体を無理矢理動かして、家路を急ぐ。

マンションまであと少しのところで、強い眩暈に襲われうずくまってしまった。

ダメだ、ふらふらする。

症状が治まるのを待つためじっとしていたところを、ふいに後ろから何者かに腕を摑《つか》まれ、夏南はその恐怖に「きゃああ！」と大きな悲鳴を上げた。

力強い男の手。どうにか振りほどこうと必死で両腕をばたつかせた夏南だったが、思いのほか力強い手には敵わなかった。

恐怖で身体が震える。心臓がドクドクして、半ばパニックを起こしているのが自分でも分かる。

「……誰かっ」

助けを呼ぼうとして、声を上げると
「夏南ちゃん！　落ち着いて、俺だよ！　大丈夫？」

夏南の腕を掴んでいたのは、以前顔合わせの時に一度だけ会ったことのある琉司の弟の駆だった。

「……駆、さん？」

「何してるの⁉　一人？　危ないよ、こんなところで発情中のオメガが！　とりあえず、俺に摑まって。家まで送るから」

そう言った駆が夏南の身体を支え、夏南が手にしていた荷物を代わりに持つ。――が、そういう駆自身も確かオメガフェロモンの影響を受けるベータ属性であることを思い出した。

「で、も……」

夏南が抵抗を見せると、駆が有無を言わせない勢いで言った。

「警戒するの分かるけど、兄さんの恋人に何かしたりしないから！　とりあえずここは危険だよ。俺を信じて！」

そう言った駆が夏南の身体を支えながらマンションまで歩き、結果、部屋まで夏南を送り届けてくれたのだった。


「薬は？　特効薬置いてる？」

「冷蔵庫に……」

「分かった」

そう返事をした駆が迷わず冷蔵庫から夏南の特効薬を見つけ出し、これまた慣れた様子でソファに横たわった夏南の傍らにしゃがみ込んで、その腕に特効薬を打った。

「これで、いいかな。……びっくりしたよ、かなり遠くまで香りがしてた。あんな香りさせてるとこにうっかりアルファと遭遇したら大変なことになってた」

オメガ以外の属性はフェロモンの影響を大きく受けるが、ベータはそれをある程度理性で制御することができる。

最もオメガのフェロモンの影響を受けるのはアルファで、中にはそのフェロモンによって引き起こされるヒートと呼ばれる制御不能の発情に陥ってしまう場合もある。その状態のアルファがオメガにとって最も危険対象なのだ。

そういったケースで、アルファに襲われたオメガが望まない妊娠をすることもあるのがこの社会の現実だ。

「ありがとう、駆さん。もしかして……こういうの慣れているの？」

訊《たず》ねた夏南に、駆が頷《うなず》いた。

「ああ、うん。学生時代に仲の良かった男友達がオメガでね……発情期にはこういうこと多かったから。おかげで特効薬の打ち方上手くなったよ」

「そうだったの……」

見た目もどこかあどけなさが残るほど若々しく、夏南より四つも年下である駆の姿が今日はどこか頼もしく見える。

夏南の発情に対する的確な対処方法もそういった理由があるのなら手馴れているのも頷けた。

「今日、兄さんは？　夜遅いんだろ？　大丈夫？」

「駆さんが特効薬打ってくれたからしばらくは大丈夫……。それに発情期の辛いのは慣れてるから」

駆に会ったのは今日で二度目だが、先日の顔合わせの時に話したあの人懐っこい印象はやはりそのままだった。

そんな駆に対して余計な緊張感を覚えることがなかったことと、彼が自分より随分年下だということもあり、話す夏南のほうの口調も自然と少し砕けたものになった。

「でも、慣れてるからって無理したらだめだよ。辛いときは、ちゃんと辛いって言わないと」

　柔らかく微笑んだ駆の笑顔はやはり兄弟だからか琉司とよく似ていると思った。

「ごめん。いくら薬が効いてるとはいえ、長居しちゃうと夏南ちゃんのフェロモンの影響受けちゃいそうだからもう帰るね！」

　そう言った駆がゆっくりと立ち上がった。

「あの、ありがとう……」

　夏南が慌てて起き上がろうとすると「あ、いいから」と駆が立ったまま手で夏南のその動きを制した。

「そういえば駆さん、何か用があったんじゃ……」

「あー、いいんだ！　たまたま休みで近くまで来ただけだから。また、ゆっくり来るよ」

　そう言って随分慌てた様子で部屋を出て行った駆を夏南は何だか微笑ましい気持ちで見送った。

「タイプは違うけど、やっぱり似てる……」

　見た目に人懐っこさが表れている朗らかな駆と、一見クールに映る琉司。まるで正反対のように見えて、困っている人を放っておくことが出来ないところはよく似ていると思った。


　夜になり本格的な発情期に突入した夏南は、家事も手につかなくなり部屋で寝込んでしまった。琉司の夕食の支度もままならず、その旨をSNSのメッセージで連絡すると「なるべく早く帰る」と返信があった。

眩暈、倦怠感《けんたいかん》、呼吸の乱れ、体温の上昇に加え、激しい欲情感。年々酷くなる発情期の症状に、夏南はここ何年も悩まされ続けている。

もともと産むことに特化したオメガのその症状は、出産適齢期になればなるほど強くなり、出産のリミットをある程度過ぎるとなだらかに下降していく。いまの夏南は肉体的にも精神的にも成熟したまさに適齢期にあたり、症状が一番強くあらわれる時期なのだ。

「……熱い」

一番即効性のある特効薬は夕方すでに打ってしまったため、次の特効薬を打つにはあと数時間その間隔をあけなければならない。

これまでの夏南は特効薬によってその辛い症状に耐えて来た。正確にはそれしか方法を知らなかったからだ。

けれど、夏南はもう知ってしまった。生々しいほどの欲望を満たす最善の方法を――。

その時、玄関の扉が開く音がして琉司が帰宅した。

「夏南。大丈夫か……？」

帰宅するなり夏南の部屋の扉を開けた琉司は、ベッドの上に横たわっている夏南の姿を見るなりその傍らにしゃがみ込んだ。

「大丈夫なわけないか……。部屋の外まで甘い香りが漏れてた」

自分ではその香りがどれほどのものか分からないが、琉司がそっと夏南に触れると、夏南の身体にまるで電流のような痺れが走った。それはやはり琉司のほうも同じだったようで、彼が驚いたように反射的に夏南から手を離した。

まただ——。まるで電気のような痺《しび》れ。

「……あの、ごめんなさい」

「不思議だな、きみに触れるとこうだ。確か、初めて会ったときも……」

そうだった。初めて会ったあの夜も、彼に触れられただけで身体が痺れた。

「薬は？」

「夕方特効薬を……もう少し時間を空けないと次が打てなくて」

夏南の答えに「そうか」と頷いた琉司が大きく息を吐いてから片手で鼻を覆ったが、それはほんの数秒のことで諦めたようにその手を離した。

「琉司、さん……？」

「……なんて香りだ。きみのフェロモンは驚くほど刺激が強い」

身体を起こした夏南の腕に再び触れた琉司の腕は微かに震えていて、何かに耐えるように指先を震わせている。夏南はこういった症状を見せる人間を過去に何度か見て知っている。これは明らかにアルファがみせる発情の症状だ。

「琉司さん……」

——怖い。ほんの一瞬、そう思った。

けれど、それと同時に自分の中にあるオメガの本能のようなものが、彼の発情によって触発されるのを感じる。

まるで小さな火種が勢いよく燃え上がっていくように体中が急激に熱くなる感覚に戸惑いながらも、その熱を少しも抑えておくことができない。

「夏南、おいで」

そう熱っぽい声で名前を呼んだ琉司が夏南の腕を引いたが、夏南はそれに抵抗した。

契約を結んだとはいえ、こんなふうに容易く身体を許していいのか。琉司のことが嫌なわけではない。愛のない行為など嫌悪していたはずなのに、自分がしようとしていることは一体何だろう？

身体だけ繋《つな》がって欲だけ満たされればそれでいい？　それじゃまるで獣のようだ。

「どうした？　辛いんだろう？　こっちにおいで」

琉司の優しい誘いに、そのまま身を預けてしまいたい衝動に駆られるが、それは彼に少なからず好意があるからなのか、ただ高まる欲を解消したいからなのか分からなくなる。

「夏南。素直に僕に身体を預けてごらん」

「……でも、私」

「我慢しなくていいんだ。これまできみはたった一人でこの症状に耐えてきたんだろうが、いまは僕が傍にいる。パートナーの僕には素直に甘えていいんだよ」

彼の言葉に、夏南はそのまま琉司の腕の中に倒れ込んだ。

「夏南……身体が火傷しそうに熱いよ。僕に触れられるのが嫌なら無理強いはしないが、そうじゃないなら僕はきみを楽にしてやりたい」

琉司が夏南の身体を強く抱きしめ、夏南も琉司の背中に手をまわした。益々熱くなる自分の身体を優しく受け止め、甘えていいという彼の言葉に縋《すが》ってしまった。

「琉司さん……」

そう名前を呼び返して夏南は彼の身体にきつくしがみ付いた。

――熱い。苦しい。身体が熱くて、どうにかなってしまいそうだ。

「分かってる。この昂《たかぶ》りをどうにかして欲しいんだろう?」

琉司の言葉に夏南は縋るように頷いた。

欲しい。目の前の、この美しい男が欲しくて欲しくてどうしようもない。

夏南が琉司を見上げると、琉司が普段とはまるで別人のような熱のこもった目で夏南を見つめ、強引に夏南の唇を塞いだ。

触れた唇の先から甘い痺れが夏南の全身を駆け抜ける。口をこじ開けられ、舌で口内をまさぐられ、溢《あふ》れた唾液さえ零さないよう琉司は何度も何度も夏南の唇を塞ぐ。息をするのもやっとでまるで溺れてしまいそうなほど苦しいのに、その苦しささえも快楽に変わる。

「ん……、ぅぷ、は」

――ダメ。これは、ダメ。

互いの舌を絡ませ、その熱を貪り合う。混ざり合った舌はさらに熱を持ち、このまま溶けてなくなってしまいそうな感覚にとらわれる。

「僕もきみが欲しい」

「琉司さ……ダ、メ……」

「今更ダメとか言わないでくれ。もう止めてやれない」

そう言った琉司が夏南をベッドに押し倒し、夏南のルームウエアに手を掛けた。裾から両手を差し入れ、手のひらで夏南の身体を下から上に撫《な》で上げながら、下着を器用にずらしてそのまま親指の腹で胸の頂に触れる。

「あ、……んっ」

「凄く綺麗《きれい》な胸だ。形も弾力も手のひらに収まる大きさも。感度も悪くないようだ。ほら、こうやって指で弄るとぷっくり立ち上がって来る」

琉司が言葉通り夏南の胸の先を指で弄ると、その弄られたところがヒリヒリとして、思わず小さな声が漏れた。身体の奥の方までが熱を持ち、すでに疼《うず》き始めているのが分かる。

琉司の温かな舌が艶めかしい水音を立てて夏南の胸の先をつつき、舌先でそこを何度か舐《な》めあげた。

「あぁ……あっ、んっ」

夏南が小さな悲鳴を上げると、琉司が今度は夏南の柔らかな乳房を手のひらでわしづかみにし、その頂を口に含み吸い上げた。

吸い付きながら舌先で敏感な部分を転がし、時々そこに歯を立てる。ぬるりとした刺激と微かな痛み、飴《あめ》と鞭《むち》のような愛撫《あいぶ》に夏南の欲情が更に高まっていく。執拗《しつよう》に舐められ、吸い上げられた先端はますます敏感さを増し、与え続けられる刺激にこれ以上ないほどに立ち上がっている。

琉司のほうも益々欲情が高まってきているのか、時々掛かる息が熱くその呼吸も乱れている。

「これは邪魔だな」

そう言った琉司が器用に夏南の身に付けているものを脱がせた。露になった身体を隠そうと手を伸ばすと、その手を阻まれベッドの上に押し付けられる。

両手を頭の上で拘束されたまま、なだらかな稜線《りょうせん》の頂を嚙《か》まれ思わず漏らした甘い吐息とともに電流に打たれたように夏南の身体が跳ねた。

そんな夏南の反応に琉司が満足そうに微笑むと、着ていたスーツを脱ぎ捨て、ネクタイを解き、少し開けた口の隙間からいやらしく舌を覗《のぞ》かせながらこちらを見下ろした。

その姿は、まるで捕獲した獲物に今まさにかぶりつこうと舌なめずりする獣のようだ。

琉司が解いたネクタイを襟から引き抜き、シャツを脱いで半裸になった。逞《たくま》しい身体の美しさに思わず息を飲む。

次、彼がどんなふうに自分に触れるのかという期待に身体が小さく震える。それを見透かしたように琉司が夏南の下肢に触れた。

「もどかしそうな顔だ。こっちも、触って欲しいのか？」

琉司の手が下着の上から夏南の一番敏感な部分に触れる。その部分が湿り気を帯びているのに羞恥を覚えた夏南は慌てて琉司の手を阻もうと試みるが琉司はその手をどけることなく、夏南を真っ直ぐに見つめて言った。

「無駄だよ。隠したって分かる、濡《ぬ》れてるの」

「や、だ……」

「夏南、手どけて。これじゃ触れない」

「触っちゃ、や……」

「嫌なのに、こんなに濡れてるのか？　まるで待ちきれなくて涎《よだれ》を垂らしているように見える」

そう言いながら琉司が下着に指を掛け直に夏南の敏感な部分に触れる。

一瞬ビクッと跳ねた身体。琉司の指はそんな夏南の反応を楽しむように、敏感な部分に指をぐりぐりと押し付ける。

「待っ、琉司さ……や、ぁあ」

その強烈な刺激から逃れようと身体を動かすも、琉司の指はそれを許さず、さらに刺激を強めてくる。じわりじわりと身体の奥が熱くなり、堪えきれなくなった熱が愛液となって外へ流れ出しているのが分かる。

「ほら、また溢れて来た」

琉司が溢れた愛液を利用して、夏南の中に指先を差し入れた。夏南の愛液にまみれた琉司の指は動くたび粘着質ないやらしい音を立てる。

恥ずかしさを感じたのははじめだけだった。もちろん、羞恥心というものを完全に失ってしまったわけではないが、それを上回る快感に次第に身体が開いていく。

「気持ちよさそうだけど、指だけで弄ったら傷つけてしまいそうだ」

そう呟《つぶや》いた琉司がそっと夏南の足を割って下腿《かたい》を抱え込んだ。次の瞬間熱く柔らかな琉司の舌が夏南の敏感な部分をぬるりと舐め上げた。

「あぁあ……」

あまりの快感に思わずシーツを握りしめると、琉司が夏南の手にそっと手を重ねた。

「気持ちいい？」

そう訊ねておいて夏南の返事を待たずに、琉司は再び夏南の敏感な部分を舌で刺激する。まるで動物のように音を立ててそこを何度も舐め、敏感に立ち上がった部分に強く吸い付いたかと思うと、唇を離し再び吸い付いては舐めるのを繰り返す。

押し寄せてくる快感の波に、夏南の身体が勝手に震え出した。

もう限界――。

そう思うところまで高められ、頭の中が真っ白になり何も考えられなくなる。何度も何度もギリギリのところまで追い詰められるのに、達することは許されない。届きそうで届かない。そのもどかしさに気が狂いそうになる。

「……いやぁ、も、……やぁ。……お願いっ」

イケない苦しさと切なさに、夏南は琉司の手を力いっぱい握りしめながら意思とは無関係に震える下肢になすすべもなく涙を零した。

「堪らないな、その顔。どうして欲しい？」

「……どうにかして欲しっ、ん」

夏南は堪らなくなって腰を浮かせた。

おぞましいほどの欲望だけが夏南の身体と心を一杯にする。

「欲しいの……」

他に何も考えられなくなる。この目の前の男を欲しいと思うこと以外、何も。

引き合う属性の本能が、これほどまでに強いものだなんて知らなかった。

夏南が琉司のほうへ腕を伸ばして懇願するように呟くと、琉司の顔つきが変わった。これまで抑えていた何かを解き放つかのように、大きく息を吐いて身体を起こした。

「煽《あお》るなよ、そんなに。優しくしたいのにできなくなりそうだ……」

そう言った琉司が夏南の手を引き、自身の下腹部へと導いた。

「……分かる？　僕もきみが欲しくて堪らない」

琉司の言葉通り夏南の手のひらに、彼自身の硬さが伝わった。琉司自身も夏南の身体を欲している証だ。

琉司が体勢を整え直し、彼自身を夏南の熱く溶かされた部分にあてがった。硬くなったそれを押し付けられ、ぐりぐりと敏感な部分を刺激され夏南の身体がゾクリと震えた。

琉司は夏南の両足を肩に持ち上げ足を開かせると、そのまま上体を近づけ夏南の中にゆっくりと押し入って来た。

「……あ、っん」

それまで挿れられた舌や指とは比べ物にならない質量に夏南の内側が圧迫され、思わず切なげな声が漏れた。

「夏南の中、びっくりするほど熱いよ」

そう夏南の耳元で囁《ささや》いた琉司の声が掠《かす》れた。耳に掛かる熱い息に夏南の身体が敏感に反応する。

「熱くてぎゅうぎゅうと僕を締め付けてくる……」

夏南の身体への負担を考えてなのか、ゆっくりと夏南の中に押し入った琉司は、そこで大きく息を吐いた。思わず見惚《みと》れてしまうほど美しい琉司の顔が少しだけ歪《ゆが》んで、夏南を見つめている。

その瞳は熱を帯びていて、濡れているようにキラキラとした光を放っている。

——碧《あお》だ。

普段は黒く見える瞳に、深い碧が重なって見える。夏南は吸い込まれるかのようにその碧に見入ってしまった。

「どうした夏南?」

「……見惚れて、しまいました。琉司さんがあまりに綺麗で」

熱に浮かされているからなのか、普段なら言葉にするのを躊躇《ためら》うような直球の言葉を零すと、琉司が驚いたように眉を少し動かした。

「何言ってるんだか。……そんな余裕あるなら少し動くよ」

そう言った琉司が勢いよく腰を引き、次の瞬間大きなうねりを伴い夏南の身体の一番深いところを突いた。

「ああ、……っ」

「いい声」

「そ、……そこ、やぁっ」

「気持ちいいのか、ここが。深いとこ突かれるのが好き？」

深部を突かれて、その快感に思わずのけ反ると琉司がそんな夏南の身体を力強く引き寄せた。

「夏南。手、こっち。僕につかまって」

琉司の言葉に夏南は素直に従った。琉司の肩に触れると彼の肌がしっとりと汗ばんでいた。夏南が琉司の肩にしがみつくことによって琉司自身の体勢も安定し、動きやすくなった彼に身体の内側を何度も何度も擦られ夏南の口から「やぁ、ん」と自分でも驚くような甘い声が漏れた。

「夏南、こっち見て」

琉司の優しく響く声がまるで呪文のように夏南の身体を動かす。言われるままに彼を見つめると、琉司が夏南の唇を塞いだ。

——甘い。クラクラする。

お互いがお互いを貪るように唇を重ねながら、琉司が大きく腰を動かした。

「ああっ……琉司さ……」

「夏南……」

琉司の動きに合わせて彼の呼吸が荒く乱れていく。熱っぽく吐き出される吐息に、夏南も甘い吐息を返した。

夏南の声が、甘くなればなるほど琉司が夏南の中で大きく質量を増す。お互い汗にまみれ、部屋の中がその熱気にむせかえるようだ。

「あ……っん」

「まだだよ、夏南。もっと甘い声聞かせて」

——もどかしい。

先程同様に達する寸前のところまで追い詰められて、急にその手を緩められる。イキたいのに、イカせてもらえない。苦しくて切なくてどうにかなりそうで、夏南は琉司に懇願した。

「止めないで……苦し、の」

「うん。苦しそうだな」

「……どうにか、なっちゃ……」

「どうにかなりそうな夏南が僕に縋るその顔、最高に興奮するよ」

優しい顔をして酷い仕打ちをする男だ、と熱さに朦朧《もうろう》とする思考の中、夏南は思った。

それでも、彼に縋るしかない。限界まで昂ったこの熱を、どうにか解放させて欲しい、と。

「お願い……イキ、たい……」

イかせてほしい。

「分かってる。その顔ずっと見ていたい気もするが、僕のほうももう限界かも」

そう言った琉司が一度腰を引き、一層深く夏南の身体を貫いた。

「ああっ、あ……ぁん」

これまで与えられてきた快感よりさらに強い快感に身体が震えた。

「もっ、と……」

――欲しい。どうしようもなく彼が欲しい。

これは自分がオメガである本能からくるものなのか、はたまた別の感情も入り混じっているのか。

「ああっ、琉司さ……ぁ」

叫びに近い嬌声《きょうせい》を上げながら、夏南はとうとう頂まで上り詰めた。頭の中が真っ白になり、ぐったりとベッドに倒れ込むと、その身体を琉司が揺り動かし夏南をうつ伏せた。

「まだだよ、夏南……。本当にいいのはこれからだ」

そう言った琉司が、うつ伏せたまま夏南の腰を持ち上げ、後ろに突き出すように体勢を変えた。身体に力が入らず、今にも潰れてしまいそうなその身体を琉司が後ろから支えながら夏南に覆いかぶさった。そのまま後ろから強引に押し入られ、体勢が変わったことによりさっきまでとは全く違うところに与えられる刺激に思わず腰が跳ねた。

「り、琉司さん……」

「本当に凄いよ、夏南のフェロモンは。いくら出しても勃ってくる……こんなの初めてだ」

「ま、待って……そこ、やぁあ」

「さっきと違うとこ擦れて気持ちいいんだろ？　僕も夏南の中が心地よ過ぎてどうにかなりそうだ」

そう言った琉司が夏南の中で再び質量を増し、これまでとは比べ物にならないほど荒々しく夏南を求めた。激しく打ち付けられる腰の動きに、夏南の華奢《きゃしゃ》な身体が悲鳴を上げる。

「ああっ……」

どちらかといえば乱暴にも受け取れる動きなのに、夏南のいいところを的確に突いてくる。

――気持ちいい。苦しい。でも気持ちいい。

相反する感覚と気持ちに、頭の中が混乱をきたし、次第に思考力が奪われていく。何もかもどうでもよくなって、夏南はシーツを握りしめながらただひたすら甘い声だけを上げた。

「夏南……可愛いよ。もっといやらしく乱れて」

「……ん、あぁん」

「やっぱりきみは僕にとって特別みたいだ。こんなに誰かを乱したいと思ったことも、どうしようもなく求めてしまうことも、何もかもが」

まるで獣の交わりのようだった。ただ本能のままに求め合う。

上がる息。熱くなる身体。むせかえるような甘い香りに頭がクラクラする。

「もうダメだ。これ以上抑えんの無理……」

そう言った琉司が夏南の項に歯を立てた。

琉司が何をしようとしているのか、もちろん夏南にも分かっていた。このまま彼に噛まれてしまえば、どちらかが死を迎えるまでの永久的な『番契約』が成立する。

「夏南。……噛んでいいか？　このまきみを僕の番にしたい。お願いだからいいって言ってくれ……！」

琉司の懇願するような声が夏南の耳元で響いた。そうしながらも、後ろから夏南を突くことをやめようとはしない。欲しかった刺激が、深いところに届く。

「……気持ちいい。おかしくなっちゃ……」

「おかしくなればいい。僕も既におかしくなってる。止まらないんだ」

何度も何度も腰を打ち付けられ、中を抉《えぐ》るように突き上げられ快感が限界を迎える。

「あぁあああ」

が走り、夏南はそのまま意識を手放した。

「いいよ、夏南。一緒にイこう。少し痛いけど、我慢して」

琉司がそう言った瞬間、身体中を貫くような激しい快感と共に、首の後ろ側に熱い痛み

「琉司さ、ん……イっちゃ……」

「夏南」

夏南が目を覚ましたのは、翌朝早くのことだった。

カーテンの隙間からまだ薄暗い外の様子が窺《うかが》え、どこからか小鳥の囀《さえず》りが聞こえた。

ふと温かな体温が背中に触れ、夏南がはっと振り返ると、そこには琉司が静かな寝息を立てていた。思わず悲鳴を上げそうになって、慌てて両手で口を塞ぎそれを飲み込んだ。

——そうだ、昨夜。

琉司の顔を見た途端、昨夜の出来事が走馬灯のように次々と思い出され、夏南は思わず顔を覆った。気が狂いそうになるほどの激しい発情。熱を持て余した身体を、彼に鎮めてもらうために深く深く身体を重ねた。その熱も感覚も、何もかもがいまだ夏南の身体に残ったままだ。

まるで自分が自分でなくなってしまうような感覚に襲われたのは、初めて琉司に抱かれたあの夜と同じだった。

発情の症状が出たアルファとオメガであれば、ごく普通のことなのか。それとも、彼だ

けが特別なのか。琉司以外との経験がないため、それを比較することもできない。

琉司の寝顔を見つめ、小さく息を吐いた。

男性に使う形容の表現としては適切ではないのかもしれないが、見れば見るほど美しく整った顔。こんな美しい人が自分にだけ発情し、貪欲なほどその身体を求められる。夏南もまた彼を欲しいと思い、身体の相性というものがあるのなら、これ以上の相手がいるのかと思うほどだ。

琉司の頬にそっと指先で触れると、彼が小さく眉を動かしたので夏南は慌ててその手を引っ込めた。

——ドキドキする。ほんの少し触れただけで。

身体を重ねたときの心地よさからそんな気になってしまっているのか、それとも彼に対して何か特別な感情が芽生えているのか。

そんなふうに思い悩んでいると、ふいに琉司が夏南のほうへ身体の向きを変え、そのまま夏南を腕の中へ閉じ込めた。

はずみで項がズキンと痛み、夏南はほとんど声にならない悲鳴を漏らした。夏南が痛みに身体を硬くした気配に気付いた琉司が目を覚まして、とろりとした目で夏南を見つめた。

「傷が痛むか？　悪かった、痛い思いさせて」

そうだ、夏南は昨夜、彼に項を噛まれたのだった。

そのことを思い出して、痛みのあるところにそっと触れると、そこにはガーゼがあてがわれていた。

「出血が酷かったから応急処置はしておいたが、ちゃんと診てもらった方がいい。あとで知り合いの医者に連絡しておく」

そう言った琉司が夏南の唇にごく当たり前のようにそっと触れるだけのキスをした。

夏南が驚いて琉司を見つめると、彼が不思議そうに小さく首を傾げた。

「どうした、夏南？　さっきからひとことも声を発してない。そんなに傷が痛むのか？」

「あ……いえ。傷は……」

確かに傷の痛みはある。問題はそこじゃない。まるで昨夜の熱を引き摺《ず》ったままのような琉司の態度に夏南は戸惑っているのだ。

こんなこと、これまで一度だってなかった。友好的な契約結婚という名目のもとに、いままで良好な関係を築いてきたが、今朝はいままでと何か違う。

「せっかくの綺麗な身体に傷をつけてしまったな……」

そう言った琉司が、夏南に身体を摺り寄せるようにして、手当てされた傷口の上に唇を押し当てた。そのまま琉司の指が夏南の鎖骨、肩をゆっくりなぞり、胸を包み込んだ。

「あ、の、琉司さん……！」

夏南が慌てて琉司の胸を手のひらで押し返したが、琉司はそんな夏南の手をいとも簡単に押さえつけた。

「ま、待ってください。琉司さん、朝です。朝！」

「朝から触れちゃいけないなんて決まりは作ってないはずだが」

「そ、そういうことじゃなくて！　お仕事行かれるお時間……」

「あと一時間もある」

「も、じゃなくて、一時間しか、です！　着替えて……朝食召し上がりますか？　だったら急いで支度を」

夏南が慌てて起き上がろうとすると、琉司に無理矢理ベッドに引き戻された。

「朝食はいい。その身体じゃ辛いだろう？　ゆっくり寝てるといい」

「あの……大丈夫です。いまは、症状も治まっていますし、簡単なものでよければ……」

再び起き上がろうとすると、今度はそれすら叶《かな》わないように背中から彼の腕の中に閉じ込められてしまった。

「あと少しだけこのまま」

そう言った琉司が夏南の首に、肩に、そして背中に唇を付けていく。そのまま、後ろから両手で夏南の胸を包み込み、指でその先端を弄ぶ。

「待って……ダメです」

「少し触れるだけだ。ほんの少しだけね」

琉司の指の刺激に、おさまっていたはずの身体の奥の熱が再びその存在を主張し始める。

昨夜あれだけ激しく抱かれ、身体はへとへとなはずなのに、奥の熱だけは消えずにまだ燻《くすぶ》っているのだと思い知らされる。

「ダメ……」

火種が点いてしまえば、その火種を元に燃え上がった欲望によりまた再び激しい発情状態になってしまう。それだけは避けなければと、必死に琉司の指の感覚から意識を逸らせたが、琉司の指は執拗に敏感なところに触れてくる。

「や……ぁん」

「朝から、いい声だ」

「ダメですってば……」

「うん。分かっているんだけど、きみの甘い声が聞きたくてついね」

そう言った琉司が、後ろから夏南の顎に手を添えた。そのまま琉司がそっと顔を近づけ夏南の唇を覆った。


あと少しだけという言葉通り、琉司は夏南の身体を少しの間好きに弄んだあと、まるで別人のような素早い動作で身の回りのことを済ませ、夏南の分の簡単な食事の用意までし、出かけて行った。

昼過ぎには彼が寄越した医者がわざわざ部屋を訪れ、夏南の項の傷の診察までしてくれるという、完璧な手配だった。

「……至れり尽くせりだ」

身の回りのことは一通りこなせる旨は彼自身から聞いて知ってはいたが、こう何もかも手際がよく完璧であるのを実際に目の当たりにすると、改めて彼の有能さを実感する。

現に高城グループの後継を担う立場にいるのだから、彼のその能力は言うまでもないのだろう。

どうして彼のような有能な後継者に、偽りのパートナーが必要だったのだろう？

偽りでなくとも、彼になら自分よりもっと素敵な女性が——。

夏南がそんなことをぼんやりと考えていると、ふいに部屋のインターホンが鳴った。

「……誰だろう？」

基本的にこの部屋に来客はない。世間的にも注目される立場の琉司が、この部屋の存在を知らせているのはごくわずかな人間だけだと聞いたことがある。

夏南がモニターでその相手を確認すると、そこに映っていたのは人懐っこい笑顔でモニターに向かって手を振る駆の姿だった。

「夏南ちゃん、大丈夫？　発情期だと食事もままならないだろうから、少しでも口当たりのいいもの……って思って行きつけの果物屋でフルーツ買って来たんだ」

そう言った駆に押し切られるように部屋に入れてしまったのは、昨日助けてもらった恩があったからだ。もちろん、躊躇いはあった。けれど、昨日の夏南に対する態度を思い起こせば、その心配は無用のようにも思えた。

「ありがとう……」

駆の差し出した手土産を玄関先で受け取ると、彼が夏南の顔をじっと見つめた。

「心配しなくても大丈夫。これで帰る。それ渡しに来ただけだから」

「え……？　これだけのためにわざわざ？」

「言ったろ？　オメガの友達がいたって。発情期の辛さ、身近で見てて知ってるから。兄さん優しいけど、周りに夏南ちゃんみたいな子いなかっただろうし。仕事人間だから、いろいろ気が回らないかなって思ってフォローに」

そう言った駆がニッと白い歯を見せて笑った。こういう無邪気な笑顔は、スーツを着ていても初々しく、学生のような幼さが残る。

「薬効いてる？　昨日より辛くなさそう」

「ああ……さっき薬を飲んだばかりで落ち着いているからかも」

そういえば、つい三十分ほどまえに抑制剤を飲んだばかりだ。

「そっか。薬が効いてるならよかった。そういう時間に少しでも何か口入れて身体休めないと」

そう言った駆が何かに気付いたように夏南の顔を凝視した。

「……あ、なんだ。落ち着いてるの、薬だけのせいじゃなかったのか」

「え？」

「ここ」

駆が夏南を見つめたまま、自分の項をトントンと指さした。

駆は夏南の項に付けられた『番』の印に気付いたのだ。

「兄さんの番になったんだね。何か変だと思ったんだ。夏南ちゃんからフェロモンを感じないから」

駆の言葉に夏南が小さく頷くと「なんだ。そっか……」そう言ったきり駆がしばらく黙り込んでしまったことに、夏南はますます恥ずかしさが込み上げ目を伏せた。

番という関係は、いわゆる性交中にアルファがオメガの項を噛むことでそれが成立する。つまり、昨夜のその行為を駆が察しているということになる。

「そっか、兄さんが番を……。よっぽど夏南ちゃんのこと特別に思ってるんだね」

嬉《うれ》しそうにそう言った駆の言葉に夏南の胸が微かに痛んだ。


日暮れとともに再び夏南の発情の症状が悪化した。

オメガの発情はその症状も程度も人それぞれである。昼夜を問わず酷い発情を繰り返す者もいれば、そうでない者もいる。夏南の場合は、昼間より夜の方がその症状が強い傾向にある。

眠りについても身体が火照ってすぐに目覚めてしまい、酷い汗をかいて身体中が気持ち悪い。

その汗を流そうと冷水に近い低い温度のシャワーを浴びると、ほんの少しだけ火照りが治まるような気がする。

「は……ぁ」

それでも身体の奥から湧き上がってくるような熱は治まらない。

――熱い。身体が、寂しい。

昨夜激しく琉司に抱かれた反動なのか、頭の中が彼にされたあれこれで一杯になってしまう。いやらしいこと以外考えられなくなって、まるで頭の中がどうにかなってしまったみたいだ。

「いままでこんなことなかったのに……」

シャワーに打たれたまま手のひらでそっと自分の身体に触れる。

目を閉じて頭の中に琉司を登場させ、自分の手を彼の手に見立ててそっと襲わせる。恥ずかしいことだと分かっていても、その想像は頭の中でどんどん加速していく。

『ここ弄ると気持ちいいんだろ？』

妄想の琉司に卑猥《ひわい》な台詞を吐かせ、彼が夏南に触れるように自分の身体に触れる。その想像は次第にエスカレートしていき、夏南はとうとう自身の熱く疼く部分に指を這《は》わせた。

「ん……、琉司さ」

思わず漏れた自分の甘い声に驚いて、はっとする。

ふいに背後に人の気配を感じて振り向くと、そこには少し困ったような、それでいて嬉しそうな表情を浮かべた琉司の姿があった。

「呼んだか？」

仕事から帰って来たばかりなのだろう。スーツのジャケットを脱いだだけの姿で琉司が夏南を見つめていた。いやらしい妄想に夢中で、彼の帰宅に少しも気が付かなかった。

「部屋にいないから……どこかで倒れてるんじゃないかって心配で来てみたら」

「……琉司さん」

——恥ずかしすぎる！　こんなところを見られてしまうなんて。

夏南が一人で何をしていたのか、たぶん琉司は分かっているはずだ。

裸であるうえに、人に絶対見られたくないようなところを見られ、恥ずかしさのあまり逃げ出したいのに、彼を振り返ったまま身動き一つできなかった。

琉司が浴室に足を踏み入れると、出しっぱなしのシャワーの水が彼のスーツのパンツをみるみる足元から濡らしていく。彼がそっと腕を伸ばし、ゆっくりと水を止めた。

「何してたの？」

なんて意地悪な質問だろう。本当は夏南が何をしていたか分かっているくせに敢えてそんなふうに訊《き》くなんて。

琉司が夏南に近づき、後ろからそっと夏南の手を取って鼻に近づけた。

「また発情してたんだろう？　我慢できなくて自分で触れた？　指から甘くていやらしい匂いがする」

匂いだけでなく琉司は気付いているはずだ。夏南の欲情の証に。夏南が慌てて琉司の手を振りほどこうとすると、彼はそれをさせまいと夏南の手を強く握った。

「名前呼んでたね、僕の。もしかして僕を想像の相手にしてくれてた？」

「……」

「教えてよ。想像の僕は、どんなふうに夏南に触れた？」

優しい口調で、なんてことを訊ねるのだろうか。

「答えられない？　それとも答えたくない？　じゃあ……直接きみの身体に訊いてみようか」

そう言った琉司が夏南の背後に立ち、そっと身体に触れた。

肌が触れ合っただけで、ピリと身体に痺れが走る。琉司の左手がそっと夏南の胸を包み込み、指の腹で突起を弄ぶ。彼の指先で転がされた突起は敏感に立ち上がり、もっと触れて欲しいと彼の次の動きを期待してしまう。琉司の右手はそのまま夏南の下腹部に伸び、愛液が熱く溶けだした場所をいとも簡単に探り当てた。

「……ここ、とろとろだ」

そう言いながら琉司は夏南の溶けた部分に指を差し入れる。まるでそれを待っていたかのように夏南の身体は琉司の指をすんなりと受け入れた。

琉司が湿った生々しい水音とともにゆっくり指を抜き差ししながら夏南の身体の反応を楽しんでいる。

「やだ……ぁ」

「浅いとこがいい？　それとも深いとこ？　夏南はどこ弄られるのが好き？」

琉司が触れれば触れるほど、身体の奥が熱く疼いてくる。浅いところを弄られればその刺激に身体が跳ね、深いところを弄られれば身体の奥が疼いて疼いて切なくなる。

「どっちが好き？　ちゃんと言わないと気持ちよくしてあげられない」

「……どっち、も……」

夏南がどうにか言葉を発する間にも、琉司はその手を止めることなく夏南を乱す。

「正直でいい子だ。じゃあ……想像の僕と、本物の僕はどっちがいい？」

想像なんて本物に適うはずもない。

すでに二度夏南を抱いている彼は、夏南の悦いところも分かっている。彼の指が夏南の身体のどこに触れても感じる。まるで身体全体が性感帯になったようだ。

「本物の……りゅ、じ……さんがいい……」

「夏南。また香りが濃くなったよ。一体どれだけ僕を誘えば気が済むんだ」

耳元で響く琉司の声もいつの間にか熱っぽさを増している。夏南に触れる手もやはり熱を伴って、夏南の発情に誘われ彼自身も発情しているのが分かる。

琉司が脱ぎ捨て浴室の床に落ちたシャツがあっという間に水を含んで濡れていく。彼が夏南の濡れた部分を右手で弄りながら、空いている左手で自身のベルトに手を掛けた。少し時間があって下着姿になった彼が自らの欲情の証を夏南の腰に押し付ける。

「分かるか？　夏南に煽られてあっという間にこんなだよ」

そう言った琉司が自身の昂りを夏南に押し付けたまま、夏南の片足を高く持ち上げた。

「こうすると、夏南のココ見える。ほら」

　琉司の言葉に促され、鏡に映る自分たちの姿に視線を移すと、そこにはなんとも淫らな格好で恍惚《こうこつ》の表情を浮かべる夏南自身が映っていた。

　なんていやらしい格好をしているのだろう。自身の小さな茂みや潤んだ部分が鏡に映し出されている。恥ずかしさでどうにかなってしまいそうなのに、そこから目を逸らすことが出来ない。

「……い、や」

「恥ずかしい？　夏南、発情中はこんな色っぽい顔をしてるんだよ」

「止め、て……こんなの、恥ずかし……」

「恥ずかしがることはない。凄く魅力的だ」

　そう言った琉司が夏南の深いところに指を差し入れ、夏南はその刺激に思わず大きな声を上げた。

　彼が指を動かすたび、夏南の潤んだ部分がそれを飲み込んでいる様が鏡に映し出される。

「あっ……あ、あぁ」

「恥ずかしいっていうわりに、嬉しそうに僕の指を飲み込んでる。気持ちいいんだろう？」

　狭く密閉性の高い浴室の特性でそのいやらしい音も声もやけに大きく響いて聞こえる。

　まるで自分のものではないような雌を誇張したような甘い声に、恥ずかしさが込み上げるも、彼の指が自分の中をかき回すその快感に抗うことができない。

「ああ、堪らなく可愛いな。その声も、顔も」

琉司が熱っぽい声で夏南を抱き寄せながら言った。

「ここじゃ思いきり抱けないな。身体も冷えてる。熱いシャワーで温めよう」

確かに夏南の身体の内側は熱かったが、表面は冷え切っていた。琉司がシャワーのコックを捻りお湯を出すと、二人とも頭からずぶ濡れになった。

琉司が夏南の首筋に唇をつける。肩に、背中にいくつものキスを落とし、ようやく身体を起こすと最後に唇をそっと塞いだ。

降り注ぐシャワーに打たれながらのキスは、苦しくて溺れてしまいそうだった。

それでも、それをやめたくなくて、夏南は彼の唇を自ら追い掛けた。

「……んっ」

「夏南……可愛いよ」

「は……ぁっ、琉司さ……ん」

「もうダメだ。早くベッドできみを抱きたい」

琉司が堪らないというように声を絞り出し、その場で夏南を抱き上げた。

夏南が声を上げる間もなく、浴室を出た琉司がバスタオルを摑み、そのまま夏南を琉司の寝室まで運んでベッドの上に横たえた。

「夏南」

そのまま夏南を押し倒し、キスの続きをする琉司の胸を夏南はやんわりと押し返した。

「……待って、身体拭かなきゃベッド濡れちゃ……」

「そんなのいい、待てない」

そう言った琉司の目にはまた深い碧色が映っていた。

欲情している。彼に欲情されている——それが、夏南の身体を悦びで震わせた。

求められること——誰でもいいというわけではなく、自分が欲する相手に同じように必要とされることがこれほどの幸せなのかということを琉司に出会って初めて知った。

濡れた身体のまま激しいキスに溺れる。琉司が夏南の顔に張り付いた髪を指でかき分け、夏南も琉司の顔に張り付いた髪を後ろへと撫でつける。

舌を絡ませ、溢れる唾液すら零さないように唇を重ねた。唇を重ねながら琉司が夏南の溶けた部分に再び指を差し入れ、その指を二本、三本と増やしていく。

「あ、あぁ……気持ちいい」

身体が熱くて堪らない。疼いて疼いて、どうにかなってしまいそうだった。

「り、琉司さ……もう、やぁ」

「指だけじゃ足りない？　僕が欲しい？　恥ずかしがらないで正直に言って」

——欲しい。こんな激しい衝動に逆らえるはずもない。

「……欲し……っ」

夏南が懇願するように琉司にしがみつくと、琉司が嬉しそうに微笑んで欲情の証を夏南の中にゆっくりと突き刺した。

「……あぁっ、ん」

途端に物凄い質量が夏南の身体の中をいっぱいにする。それはまるで、鍵の形のように複雑な凹凸が隙間なく身体を埋め尽くすような感覚だった。

「信じられないくらい、気持ちいいよ……こんなの初めてで本当にどうにかなりそうだ。夏南は？　夏南は気持ちいい？」

「あ、……いいっ、ん」

琉司の硬さを保ったままのもので身体を揺さぶられると、一番深いところがジンジンと熱を持って堪えきれなくなる。

「気持ちいいんだね。夏南、腰揺れてる……もっと気持ちよくなっていいよ」

自分でも信じられないくらいの甘い声が口の端から漏れる。

「はぁ……ああ、っ」

「僕で気持ちよくなってくれたら嬉しい。僕とのセックスをもっと好きになって」

あまりの快感に頭が朦朧とし、その快感こそが愛情なのではないかと勘違いしそうになる。

――分からない。

ただ、今の夏南には、彼以外に傍にいたいと思う人も、知りたいと思う人も、触れたいと思う人も、誰一人他に思いつかないのだった。

6

夜更けにふと目が覚めて琉司はゆっくりと身体を起こした。

果ててそのまま意識を手放した夏南の寝顔を眺めながら、琉司は自然と緩む自身の頬を片手で覆い隠す。

「……信じられないな」

これまでどんなオメガを前にしても、フェロモンに激しく反応して、理性で自分を抑えることができないヒートと呼ばれる突発的な発情を起こすことなどなかった。

しかも、一度ではない。夏南に発情の症状が現れた時には必ずだ。

初めて夏南に会ったときは、単なる偶然なのかと思った。けれど、そうではないということが今なら分かる。

「僕にこんなにもアルファらしい一面があったとはな」

発情中の夏南を前にすると、抱きたいという気持ちが抑えられなくなる。

それればかりか、発情の有無に関わらず、彼女に触れたいという欲求が常に自分の中にあることにも驚いている。

満たされ、疲れ果てて眠ってしまった夏南の頰にそっと手を添える。白い肌にふっくらとした血色のいい唇。長い睫毛《まつげ》がとても愛らしい。ほんの数時間前まで、自分の腕の中で甘い淫らな声を上げていた彼女。こうして眠っている顔はまだ少しあどけなさが残る少女のようだ。

——まるで、別人だな。

そんなギャップもまた彼女の魅力なのかもしれない。

普段はいい意味でごくごく普通の女性である夏南と一緒にいると、自分の中で当たり前になっていた普通でないことを気付かされる。彼女と過ごすことで、これまで気にも留めなかったことを気に留めるようになり、少なからず琉司の生活に新しい発見と影響を与えているのだ。

「ん……」

夏南が眉を動かし、もぞもぞと身体の向きを変えた。よく眠っているようで、起きる気配はない。

琉司は再び布団に潜り込むと、こちらに背中を向けた夏南の背中にぴたりと寄り添い抱き締めた。夏南の首筋に唇を這わせると、甘い香りが琉司の鼻腔《びくう》を満たす。

彼女の香りは琉司を惑わせるが、それと同時になんとも心地よい安らぎを与えてくれる。

——不思議な女性だ。

初めて出会ったときより、もっともっと知りたいという気持ちが琉司の中に湧きあがる。

互いの属性の特性上、今夜のように身体を繋《つな》げることは容易いが、心を繋げるのはそう簡単ではない。

彼女といると、どうしてか欲張りになっていく。

契約という体《てい》のいい理由で夏南を傍に置いて、彼女の身体を自由にして、その上心まで手に入れたがるなど——。

夏南を腕に抱いたまま、琉司は静かに目を閉じた。

このまま彼女がずっと傍にいてくれたらいい——そんなふうに思う気持ちはいまだただの興味なのだろうか。

*

*

*

それから数日で夏南の発情期は治まった。

もともとオメガの発情期は一週間程度のもので、症状が特に酷いのが発情から三日程度。そこから緩やかに症状は回復していくのがごく一般的なのだが、琉司の中にそれを惜しむような気持ちが生まれていることに戸惑っていた。

夏南の発情期が終われば、彼女にむやみに触れることができなくなる。それはあくまでも自分たちが本物の恋人ではなく契約上のパートナーであるからだ。

「琉司さん？　どうかしました？　それ、お口に合わなかったですか？」

夏南の作った朝食を口に運びながら、どうやら難しい顔をしていたらしい。今朝は琉司の好きな和食だ。彼女の作る食事はいつも優しく琉司の腹を満たす。

「いや。美味しいよ。ちょっと考え事をしてて……」

「あ、そうだ！　琉司さん、食後にフルーツ召し上がりますか？」

何かを思い出したように夏南が立ち上がった。そうしてキッチンからどうみても頂き物に見える箱に入った果物を抱えて戻って来た。

「どうしたんだ、それ」

「この間、駆さんが持って来てくれたんです。葡萄《ぶどう》と桃、どちらがお好きですか？」

「……駆が？　来たのか、ここに」

「この間……偶然近くで会って、送ってくれたのは話しましたよね？」

「ああ」

発情の症状が出て急に具合の悪くなった夏南を部屋まで送り届けてくれたことは駆本人からも聞いている。

「その次の日に。駆さん、学生時代に私と同じオメガのお友達がいたとかで、発情期の私の体調を気遣って口当たりのいいものを、って差し入れを」

そう言った夏南の言葉に琉司は驚いた。

駆とは兄弟仲がいいほうだと思うが、仕事の都合で部屋には不在なことが多いせいか、駆がこの部屋にやって来ることは稀《まれ》だ。

「駆をここに入れた？」

「あ……いえ、玄関先です。もちろん、すぐに帰られましたけど……駆さん、オメガの扱いにも慣れてるし、私にまでいろいろ気遣ってくださって凄く優しいですよね」

夏南が駆を褒めるその言葉に、どこか引っ掛かりを感じる自分にも違和感を覚えた。

——なんだろう、この違和感は。

「どうかしました？」

「いや。駆は人懐っこいし、話しやすいだろう」

「ああ……確かに話しやすいです。それに、琉司さんとも似てますよね」

「似てる？　僕と駆が？」

「はい。似てます、とても！」

父親は同じだが、母親は違う。どちらかといえば二人とも母親似なのか、他人から似ているなどと言われたことはほとんどない。

「どこが似てる？　言われたことがないんだ、駆と似てるなんて」

琉司が訊《たず》ねると夏南が意外そうに眼を丸くしてから、ふふと楽しそうに笑った。

「似てますよ。二人とも困った人を放っておけない優しいところが」

不思議だと思う。誰にも言われたことがないことを夏南が気付いて指摘することが。そういった意味でも彼女は他の人間とどこか違うのかもしれない。

「あ、桃はまだ若そうなので、葡萄のほうにしますね」

夏南が手にした葡萄を掲げ、微笑んだ。

契約という形で夏南と暮らし始めてからというもの、夏南は実によく働いている。元々家事の類が苦ではないのか、彼女なりに工夫しながら楽しそうにそれらをこなす。最近は週に一度、料理教室に通っているという。十分な腕前がありながら、新しいことへの挑戦にも前向きでとても勉強熱心だ。

転職を繰り返し、様々な職種経験があるからか、事務的なことにも意外と長けていて、一度家で簡単な事務仕事を頼んだところそれを完璧にこなした。以来、家に持ち帰った仕事で夏南にできそうな仕事があれば頼むことも増えた。分からないことを教えればすぐに覚え、飲み込みも早い。

彼女がもしオメガという属性でなければ、きっとどんな職場でも重宝されるような存在となり得ただろう。

食事を終えると琉司は、身支度を整えるついでに自分の部屋のデスクの引き出しから薬を取り出して服用する。

毎日の日課ではあるが、彼女の目につかないようにしているのは夏南に余計な心配をさせないためだ。一度だけ見つかったことがあるが、ただの頭痛薬だと誤魔化した。

いつどうなるとも分からない――けれど、いままで何事もなかったように今後も過ごして行けるのかもしれない。これまであまり意識してこなかったことだが、夏南との穏やかな生活が、ある日突然失われることを少し怖いと思うようになった。

琉司が自覚するようになった変化はそれだけではなかった。

これまで忙しさを理由に高城グループホテルのスイートに寝泊まりすることも少なくなかったが、夏南と暮らすようになってから、帰宅が困難である遠方に仕事に出かけたとき以外はどんなに遅くとも自宅へ帰るようになった。

琉司は新幹線の改札を抜け、スーツの袖口から時計を覗《のぞ》き込み時間を確認すると、迎えに来ていた稲森の運転する車に足早に乗り込んだ。

「琉司さま。お帰りなさいませ。まもなく六時ですが、このあと社に戻られますか？」

「いや、いい。今日はこのまま帰宅する」

そう運転席の稲森に告げると、琉司は持ち帰った手荷物の紙袋に視線を移した。出張で地方へ出向いた際、帰り際に偶然通りかかった有名スイーツ店の土産物。夏南の喜ぶ顔が目に浮かぶ。

「琉司さま、なんだか嬉《うれ》しそうですね。この頃は随分と表情も柔らかくなられて」

無意識に緩む表情を稲森に見透かされていた。

「まるで以前の僕が仏頂面だったような言い草だ」

「そう言う意味では……！　夏南さまとお暮らしになられてから随分穏やかになられたなと思いましてね」

確かに琉司自身も気持ちの変化のようなものはなんとなく自覚しているが、幼い頃からこれまで毎日のように顔を突き合わせている稲森の言葉は重みがある。

久しぶりに早く仕事が片付いた日くらい夏南と二人でゆっくりと過ごしたいと、少し逸る気持ちで自宅マンションの玄関を開けた途端、見覚えのある男物の靴を見つけ琉司は大きく息を吐いた。

「兄さん、おかえり！」

「ただいま……なんでおまえがここにいるんだ？」

出迎えに現れたのが夏南ではなく弟の駆だったことにあからさまにがっかりした顔を隠そうともせず訊ねた。

「母さんにスーツ預かって来たんだ。今度の婚約披露パーティーで兄さんが着るやつ。どうせ仕事で忙しくて、取りに来る余裕なんてないんだろう？」

「まぁな……」

事実、仕事が多忙を極め婚約披露パーティーのことなど頭の片隅にしかなかった。

「俺が持って行くって母さんに言ったの。兄さんいつも留守だったけど、最近はちゃんと帰って来てるみたいだったし、兄さん居なくても夏南ちゃんはいるだろうって。ついでに夏南ちゃんと話したかったのもあって」

「夏南に話？」

「ああ。べつに世間話だよ。夏南ちゃんって反応が面白いじゃん？　聞き上手だし、話してんの楽しいんだよね」

初対面のときから、そういった雰囲気はあった。

元々人懐っこい性格だが、あの席で夏南の緊張を解していたのは駆のその無邪気な人柄だった。駆が夏南を気に入っているのは悪くないことだが、最近何かと理由をつけてここにやって来るのには、何か他に意図があるのかとつい勘ぐってしまう。

「ただいま」

リビングに行くと夏南が「おかえりなさい」と明るい笑顔で出迎えてくれた。

「お腹すいてます？　いまちょうど夕食の準備ができたところで——」

「ああ。ありがとう」

「駆さんも、どうぞ」

すでにそういう手筈《てはず》になっていたらしく、ダイニングテーブルの上には三人分の食卓の準備がされていた。

「あと、これ」

琉司が手土産の紙袋を夏南に差し出すと、それを横から駆が攫《さら》った。

「お！　これ知ってる！　どこだっけ……なんとかって有名なプリンじゃん。珍しいね、兄さんがこんなの」

「私も知ってます！　いま、すごく人気なんですよね？　この間テレビで見ました」

「ああ。店の前、とんでもない行列だった」

「え？　もしかして琉司さん、その行列に並んだんですか？」

「三十分な」

琉司がそう答えると、夏南と駆が顔を見合わせて吹き出した。

「えー！　想像できない！」と目を丸くしたのが夏南で、「天下の高城グループの御曹司が！」と腹を抱えたのが駆だ。

「笑い過ぎだろ。それに駆、おまえだって高城の人間じゃないか」

「俺は、兄さんと違って庶民派だもん。兄さんほど顔も知られてないし」

余程ツボに入ったのか、駆はいつまでも笑っていて、夏南はそんな駆を見つめて微笑んでいる。

「じゃあ、後でいただくように冷蔵庫に入れておきますね。食事すぐ用意するので琉司さんは着替えて来てください」

夏南が言うと「あ、手伝うよ」と駆が夏南のあとを追ってキッチンに消えて行った。

いつの間にか二人の距離が縮まっているのが分かる。駆のようにすぐに人の心のうちに入り込める性格をどこかで羨ましいと思っている。

自分が年上だというのもあるが、夏南が自分に対して一定の距離を保っているのが分かるだけに、駆のようにするりと相手の懐に入り、いつの間にかその距離を縮めている様を見ると何とも言えない気持ちが湧き上がる。

本来夏南のために買って来たスイーツまでしっかり平らげた駆は、食事を終えて一時間ほどで満足げに帰って行った。

少々厚かましいといえば厚かましいが、駆が居ることで場が賑《にぎ》やかになるのは事実であるし、琉司自身も久しぶりに弟とゆっくり過ごす時間が持てて楽しかったのも事実だ。

駆を見送ってリビングに戻ると、急に部屋が静けさに包まれる。

「賑やかでしたね！」

「ああ。その……駆が迷惑かけなかったか？」

「え、全然！　凄く楽しかったです！　あ、コーヒー淹《い》れますね」

そう言うと夏南はキッチンに立ち、早速その準備を始め、琉司はダイニングの椅子に腰掛けた。

「駆さんはとてもお話上手で、いろいろ話せて楽しかったですよ。お二人が小さい頃の話とかたくさん聞かせて貰《もら》えました」

「どんな？」

「駆さんが、小さい頃どこに行くにも琉司さんに付いて回ってた話とか。小学生の頃、運動会に琉司さんが応援に来てくれた話とか――いろいろあったんですけど、どれも駆さんが琉司さんのこと大好きなんだなってエピソードばかりで」

「そんな、いいものでもないよ」

「私も大好きな兄にくっついてまわってたので、駆さんの気持ち分かるなぁって」

　夏南が駆との話を思い出したように楽しそうな笑顔を見せるのが嬉しくもあるが、夏南にそんな笑顔をさせる駆を羨ましく思う気持ちも湧き上がり、結局なんとも言えない複雑な気持ちになる。

「今日は久しぶりに夏南とデートでもしようと思っていたんだが、とんだ邪魔が入ったな」

「そんな言い方。琉司さんもいつになく楽しそうでしたよ？　お二人やっぱり仲がいいんですね」

　年が離れた異母兄弟だ。確かに、駆のことが可愛くて仕方なかったのは事実だが、自分が愛人の子で駆が本妻の子という負い目があったことも否定はできない。

「私も嬉しいです。可愛い弟ができたみたいで」

「可愛い？　あれが？」

「可愛いですよ！　私、男の人と話すのずっと苦手だったので、あんな男の子もいるんだなって」

　嬉しそうに駆のことを話す夏南がなぜか気に食わない。琉司はゆっくりと立ち上がりキッチンに足を踏み入れ、夏南がケトルを片手にコーヒーを淹れている背後に立った。

「……どうしたんですか？　すぐですよ、もう」

　コーヒーが待ちきれなかったとでも思ったのか、諭す様に微笑み返す夏南をそのまま後ろから抱きしめた。

「あ、危ないです……！」

夏南が驚いたように身体を強張らせ、手にしたケトルをカウンターに置いた。自分に対して夏南が一瞬でも身体を強張らせたことさえ気にいらない。

「さっきから駆の話ばかりだ。僕にはいまだによそよそしいのに、駆とは随分仲がいいんだな」

「そんなこと——」

はっきり否定して欲しいのに、思い当たる節でもあるのか言葉に詰まった夏南に心の中で苛立つ。

久しぶりに早い時間に家に帰って来て、二人の時間を過ごそうと思っていた。

そこに邪魔が入ったばかりか、仲のいいところを見せつけられて——。そんなことを考えているうちに、ふとあることに気付いてしまった。

——ああ、そうか。

自分は嫉妬しているのだ。

契約という形式上のこともあるが、番となり自分のものであるはずの夏南が、弟とはいえ自分以外の男と親しくしているということが面白くない。これは紛れもない独占欲だ。

「どうして身体を固くする？　発情期でないきみに触れるのはダメだったか？」

「違っ……危ないですし」

夏南の言葉に、琉司はケトルと半分ほどコーヒーの注がれたカップを彼女の手元から遠ざけた。

「これなら問題ないだろう？」

「待ってください。こんなとこで……」

「たまには場所を変えるのもいい」

そう言って項に口づけると、夏南の身体が小さく震えた。そのまま彼女の細い首筋にいくつかキスを落とし、後ろからブラウスのボタンに手を掛けた。一つ二つと上からボタンを外していくと、それを途中で遮られた。

「なに、この手」

「だから、こんなとこじゃ……」

「ここでなきゃいいのか？」

肯定ともとれるように恥ずかしそうに俯《うつむ》いた夏南の姿に気をよくした琉司は、そのまま夏南を抱き上げ、寝室のベッドの上まで運び横たえた。

発情期ではない夏南に特有のフェロモンは感じない。少しはだけた胸元を隠すように恥ずかしそうにこちらを見上げ、膝丈のスカートがめくれ腿《もも》が露になっている夏南の姿に気持ちが高揚した。

オメガの発情フェロモンの有無に関わらず、欲情する。こんな相手は琉司にとって初めてだった。

自分の下に夏南を組み敷いたまま、少し乱暴に唇を重ねた。発情期の時のような、身体中を駆け巡るような痺れこそないが、自分が彼女を欲しているのが分かる。

夏南もその違いに気付いているのか、戸惑いをみせながらも琉司に応える。

「どうした？　今夜は随分大人しいんだな。発情期のきみはもっと大胆じゃなかったか？」

恥じらいながらも、身体の奥から湧き上がって来る発情に耐えられないというように、縋《すが》るように琉司を求め甘い声を上げる夏南が、今夜はその声を必死に押し殺している。

発情期とは違って理性が根強く残っているせいもあるのだろうが、これはこれでまた新鮮だと思うのと同時に、その理性さえも取り去ってもっと違う顔を見たいという欲も生まれる。

「夏南、我慢しなくていい。声出して」

「……ん、ふっ」

「僕が食べやすいようにもっと舌出して」

琉司の言葉に従うように、夏南が恥じらいながらそれに応えようとする姿に益々気持ちが煽《あお》られる。

「そう、上手だ」

知らなかった。こんなふうに、相手の全てを見たい知りたいと思う気持ち。

相手に他の誰かではなく、自分だけを見ていて欲しい。他の誰にも見せていない顔を見せて欲しい。そんな感情が自分の中にあったということにこのとき初めて気が付いた――。

婚約披露パーティーを一週間後に控え、琉司は慌ただしい日々を送っていた。

招待客などについては正道が取り仕切っているが、自分の仕事と並行してそのリストに目を通したり、進行を頭に入れたりとやらなければならないことは山積みだ。

そんな中、気に掛かるのはどこか上の空な夏南の様子だ。

家事の途中でふと手を止めたかと思うと、そのまま何か考え込んでいるような姿をここ最近よく見かける。

「夏南。どうかしたのか？」

「体調でも悪いのか？」

そう声を掛けると、夏南が「なんでもないです！　ちょっとぼーっとしちゃっただけで」と、くるりと瞳を動かして畳んだ洗濯物を持って立ち上がった。

「琉司さん、明日朝早いんでしたよね？　お風呂入れてきますね」

そんな夏南の後ろ姿を見送りながら、琉司は歯痒《はがゆ》さを感じていた。

何か不安や悩みがあるのなら力になってやりたいのに――。

二人での暮らしは、特に問題もなく順調だ。相変わらず彼女との暮らしは快適だし、なにより琉司は夏南を特別に思っている。

始まりは契約という形であったが、このまま夏南との生活が続いていけばいいとさえ考えている。

――そう思っているのは、自分だけなのだろうか。

自分が彼女との生活に満足しているからといって、夏南も同じとは限らない。この契約は雇用契約でもある。雇用主の琉司に夏南が不満を持っているとして、それを口に出せないのではないかという疑念も生まれてくる。

「夏南。ちょっと、そこに座って」

洗面室から戻って来た夏南を摑《つか》まえリビングのソファに座らせると、彼女が不安そうに琉司を見上げた。

「最近、考え事をしているようだけど、何か悩みでもあるのか？」

「えっ……⁉」

「ぼんやりしていることが多いだろう？　どうしたのかと気になって」

琉司が言うと、夏南がはっとしたように口元を手で覆った。

「あのっ！　私、何か大きなミスでもしてましたか⁉」

「いや、してないが……」

「じゃあ、他に何か？」

「いや、何もない。何かあったのかと聞いてるのはこっちだ」

琉司の言葉に夏南が首を傾げた。

「あの……本当に何でもないんです。体調が悪いとかもないですし、悩みごととかも全然」

「じゃあ、何か生活に不満があるとか」

琉司が訊ねると、夏南が目を丸くして両手を胸の前でぶんぶんと振った。

「不満なんてあるわけないじゃないですか！　こんないい生活をさせてもらってるだけで

もありがたいのに……」

　体調が悪いでもなく、悩みがあるわけでもなく、生活に不満があるのでもないとすれば考えられるのはあと一つだ。

「僕が、何かしたか？」

「何かって何ですか⁉　何もしてないですよ！」

「本当か？」

「本当です‼」

　夏南の力強い返事に少し気圧されながらも、琉司は心のどこかでほっとしていた。

とはいえ、結局疑問は残ったままだ。確かに元気そうであるし、仕事も変わらずしっかりとこなしているし、琉司への気遣いも今まで通りである。

　気のせいかと思ったりもするが、やはり時々何かを考えているような姿を見掛けることがある。

　なぜそうなのか、どうしてやればいいのか――。

　家族以外の人間に興味を持ったことも、好意を持ったこともなかった琉司には、そんな夏南に何かしてやりたいのに、何をどうすればいいのか分からないのだった。

7

婚約披露パーティー当日、夏南は朝から緊張していた。

パーティーの本来の目的は、高城グループが手掛ける新規事業の発表と、琉司がグループの後継者であることを世間にアピールするためのものだと正道から聞いている。

併せて行われる婚約の発表については、こうしたおめでたい話題はより人々の注目を集めると考える正道の戦略のひとつだ。

高城家と繋《つな》がりが生まれて日の浅い夏南は、そういった企業戦略については分からないことも多かったが、現社長の正道が琉司にグループを継がせる強い意思を持っていることは想像がついた。

琉司が正道の血を引いているとはいえ、正道の愛人だった女性の子供だということで、以前はその親子関係がスキャンダラスなネタとして扱われることが多かったと聞いている。

琉司が契約なんて奇妙なことを夏南に持ち掛けて来たのにも、その辺のことが関係しているのだろうということが今なら少し分かる。

用意されたイブニングドレスに着替え、ひととおりのメイクやヘアセットを施されたあと、ようやく一人になれた控室で夏南は鏡を見つめながら大きく息を吐いた。

「大丈夫かな……」

鏡に映る自身の姿を真っ直ぐに見つめる。用意されたドレスは白のレースをベースとした華やかな生地にパールビーズが施されたワンピース。高い位置のウエストラインから下はAラインの紺色のシフォンのスカートが広がるとても上品なデザインだ。

サイドを耳に掛けてすっきりとセットされた髪に、大ぶりのイヤリングがアクセントになっている。

正式に自分が琉司の婚約者として発表される場だ。高城家の人間と顔合わせをしたときの緊張も相当なものだったが、今回はその比ではない。ドキドキと煩い胸を押さえながら、

「口から心臓出そう……」

思わず声に出すと、背後で小さく笑い声がした。

「え？　琉司さん⁉　どうして……」

「夏南のことだ。また酷く緊張してるんじゃないかと思って、様子を見に来た」

そう言った琉司自身も普段より少し表情が硬いように見えるのは気のせいか。

「――というのは建前で、僕も少し緊張しているみたいで落ち着かなくてね。テンパってる夏南を見たら少しは冷静になれるかなと」

「それ、酷いです！」

「はは」

そんなたわいのないやり取りをしているうちに、不思議と心細さはなくなった。

それにしても——、まるで王子様みたいだ。

夏南は、濃紺のタキシードに身を包んだ琉司の姿に目を奪われた。普段仕事の時に着ているスーツもよく似合っているが、こちらの上質な光沢を放つタキシードもまた彼の美しさを引き立てている。

「夏南？　気分でも悪いのか」

琉司が心配そうに夏南を覗《のぞ》き込んだ。

「いえ、大丈夫です！」

夏南は慌てて姿勢を正した。

ただ、彼に見惚《みと》れていただけ。

ここ最近、こういったことが増えていて、それを何度か琉司に指摘されている。家事の合間にリビングで寛ぐ琉司に見惚れることがあり、彼が仕事で不在のときにも彼のことを考えて一人でドキドキしている。

まるで頭の中が彼で埋め尽くされてしまっているように、どこにいても何をしていても彼のことを考えてしまうのだ。

「そろそろ時間だ。僕たちも行こう」

琉司に促され立ち上がると、彼が夏南を見つめて目を細めた。

「綺麗《きれい》だ。そのドレスよく似合っている」

綺麗な顔で、まるで息を吐くように自然に夏南を褒める。琉司の言葉にいちいち胸がギュッとなることに戸惑い、まともに彼の顔を見つめ返すこともできない。

「夏南」

琉司に促され、控室を出た。夏南の背中に触れた彼の手が、優しくて温かくてなんだか泣き出してしまいそうな気分になる。

この気持ちは——？

初めて経験する胸の高鳴り、痛みに翻弄されている。

どうして彼が傍にいるだけで、こんな気持ちになるのだろう。

＊　＊　＊

パーティーが始まると、夏南の緊張は益々高まった。

これまで縁のなかった見たこともない華やかな世界に目が眩《くら》む。パーティーの招待客の中には高城グループと親交の深い大会社の社長や、政界の重鎮、芸能関係者からマスコミ関係の人間まで様々な顔ぶれがあった。

開会式のあと、代表である正道が登場し、大々的な新規事業の発表を行った。

すでにホテル業界を席捲《せっけん》している高城グループが他社と提携し一大リゾート事業に乗り出すということは世間的にも注目度が高く、発表の場は大いに沸いた。

「凄い……」

夏南は自分がいまこの場にいることが信じられない気持ちだった。ほんの数カ月前までの自分には全く縁のなかった世界だ。

いよいよ琉司が紹介され、その婚約者として夏南も壇上に上がった。次々浴びせられるフラッシュの嵐と人々の注目。会場にいるすべての人間が、琉司と夏南に注目している。琉司が堂々としたスピーチを繰り広げる横で、夏南は笑顔を失わないようその場に立っているだけで精一杯だった。

どれくらい時間が経ったのか。

気付けば琉司に支えられるようにして壇上から降りていた。これほど人からの注目を集めるという経験がない夏南にとって、まさに頭が真っ白になるような出来事であったのだが、夏南なりに琉司の婚約者として相応しくあろうと精一杯振舞った。

琉司に連れられて会場の中央から離れると、急にあからさまで刺すような人々の視線を感じるようになった。

視線だけではない。皆がこちらを見て、何か囁《ささや》いているのが分かった。

心を落ち着けて、冷静になると耳に届いてくる侮蔑の声。

「あれが、高城琉司の婚約者ですって？　なんだか地味ね。あんな子供っぽい子のどこがよかったのかしら」

「あの子、オメガらしいじゃない。きっとフェロモン使って誘惑したのよ。能無しのオメガがやりそうなことね。それにしてもあんなの選ぶなんて……」

派手に着飾った美しい年頃の女たちが不躾《ぶしつけ》な視線を夏南に向けた。

「余程、床上手なんじゃない？　頭の悪い女がやりそうなことよ」

自分に対して風当たりが強いだろうということはある程度覚悟していた。

言いたい放題に言われ、悔しい気持ちはあるが、ここで問題を起こすわけにもいかないと夏南はそんなふうに囁かれる言葉を必死に聞き流した。

「高城グループも落ちたものね。やっぱり、あれじゃない？　彼、高城の愛人の息子なんでしょう？　どこの馬の骨とも分からない女を娶《めと》るなんて、血は争えないわね」

その言葉を聞いて夏南は、思わず彼女たちを睨《にら》みつけた。

頭がカッとなった。自分が他人に何か言われるのは構わない。自分が社会的最下層のオメガであることは事実であるし、偶然琉司に拾われ契約を結んだだけの身だ。

けれど、自分のせいで琉司が悪く言われるのは我慢がならない。

夏南は怒りに震える拳をぎゅっと握って、唇を嚙《か》んだ。

「夏南、こっち」

琉司がそんな周りの人間の言葉を気にする様子もなく、わざと見せつけるように夏南の肩を抱いた。それればかりか、琉司がこれ見よがしにあえて顔を寄せて耳元で囁いた。

「あんなの気にすることはない」

「でも……！」

「言いたい奴には言わせておけばいい。それよりちゃんと自分の仕事をしなくちゃダメだろう?」

そう言うと琉司が夏南の唇を指でなぞりながら妖しく微笑んだ。

「忘れていないか? 僕たちは、婚約者だ。幸せ絶頂で周りが見えないくらいラブラブの」

彼なりの演出なのだと分かっていても、その美しい微笑みに思わず吸い込まれてしまいそうになる。

「ほら、僕に合わせて。夏南は僕だけ見ていればいい」

その瞬間、背の高い琉司が少し身体を屈めて夏南の唇を塞ぎ、それを目撃した会場にいる招待客が一斉にどよめいた。

まるで外国人がするような、見られることを敢えて意識したようなスキンシップ。もちろん抵抗するわけにはいかなかった。琉司が周りの目を意識して意図的にやっていることだということが分かるだけに、夏南はそれに合わせるしかない。

「琉司さん、皆見てます……」

これ以上過剰なスキンシップをされても困ると、夏南が遠慮がちに囁く。

「知ってる。見せつけてるんだ、誰が何と言おうと夏南は僕のものだと」

琉司が敢えて周りに聞こえるように言うと、あちこちからカメラのフラッシュが光った。

人々の目を引き付けるだけ引き付けておいて、琉司は夏南の肩を抱いたままパーティー会場から出て、控室へ身を隠した。

「あの……出て来ちゃってよかったんですか?」

「はは。よくはないかもしれないが、インパクトを残せたという点では悪くない。それにあんなところにいたら夏南は気詰まりで堪らないだろう?　少し休んでから戻ればいい」

答えた琉司が控室に置かれた長ソファに座った。

「あ、じゃあ。私、何か飲み物でも用意します」

そう言って控室内の小さなバーカウンターに視線を移した夏南の手を琉司がそっと摑《つか》んだ。

「いいから。ここに座って。僕にまで気を遣う必要はない」

夏南は言われるままソファに座ると、息を吐き肩の力を抜いた。

「こういうドレスも本当は苦手なんだろう?」

苦手、というよりは自分には似合わない気がしてしまう。平凡な自分が無理矢理お姫様に仕立てられているようで落ち着かない。

「凄く素敵だなとは思うんです。でもなんだか落ち着かなくて……」

「残念だな。よく似合ってるのに。僕が夏南に似合いそうなのを選んだんだ」

「え?　このドレス……琉司さんが?」

シンプルなデザインと控えめな配色が夏南の好みに合っていた。

素敵なドレスだと思っていたが、琉司が自分のために選んでくれていたものだと思うとその分嬉《うれ》しさも増す。

「靴もアクセサリーも、全部僕がね」

そう言った琉司が夏南のドレスに手を伸ばし、襟元のレースを指でなぞった。

その指が徐々に下に動き、鎖骨をなぞる。ゆるゆるとした弧を描いて夏南の胸に触れ、
夏南はその刺激に小さく身体を震わせた。

繰り返される刺激に胸の先が反応し、思わず声を漏らしそうになるのを必死に堪えた。

「……っ」

「きみに選んだ服を、僕自身の手で脱がせてみたいという願望もあってね」

そう言った琉司が夏南のドレスの背中に手を掛けた。

その時、コンコンと控室の扉をノックする音が聞こえた。

「兄さんたち、ここに居るの？　父さんたち気にしてるよ」

依然、琉司は夏南に触れたままで、こんなところをもし駆に見られたらと思うと夏南は
内心気が気ではない。

少しでも琉司から離れようと腰を浮かすと、まるでそれを先読みしていたかのように琉
司が夏南の身体を引き寄せた。

「琉司さん……会場に戻らないと」

「分かってる」

そう夏南に返事をすると、琉司は控室の外にいる駆に「五分で戻るから待っていろ」と
大声で言い、夏南の顔を見つめながら残念そうに大きく息を吐いた。

琉司の振る舞いはあっという間に週刊誌やネット記事に取り上げられ、世間から大きく注目されることになった。

それと共に、夏南の生活も一変した。これまで世間に顔を知られていなかったこともあり、比較的行動を制限されることもなく自由に過ごしていたが、琉司の婚約者として顔を知られるようになってからは、人目を気にせず外を歩くことも難しくなった。

「悪いな。いろいろと面倒かけて。しばらくは周りが騒がしいと思う……」

琉司が夏南を気遣ってくれているのが分かるだけに、夏南のほうも「大丈夫です」と答えることしかできない。

全ては仕事。契約のうち。

琉司の婚約者になるという仕事を引き受けた以上、この契約に終わりがあるのかは分からないが、彼が納得するまでやり遂げるしかない。

「いっそ気晴らしにどこかへ出かけようか。どこへ行きたい？」

琉司の提案に、夏南は小さく笑い返した。

琉司が自分を気遣ってそう言ってくれていることは分かるが、実際彼の抱えている仕事が忙しくそれどころではないのも分かっている。

それでなくとも来年の春に迫った式の準備もあり、忙しいのだ。

「――そうですね。でも、こういう騒ぎはたぶん一時的なものでしょう？　落ち着いてから行きませんか？」

夏南の言葉に、琉司が少しほっとしたような表情を見せた。

「夏南は、それでいいのか？」

「もちろんです！　それまでにどこに行きたいか考えておきますから」

「じゃあ、僕のほうでも考えておく。楽しみだな」

この琉司の優しさは、心からのものなのか、契約の義務感からなのか。

〝仕事〟のつもりで割り切って彼との契約を結んだはずなのに、いつの間にかそれだけではなくなっている。

優しくされたら嬉しいと思ってしまう。触れられたら、その手が自分だけのものだったらいいのにと思ってしまう。

「私も、楽しみにしておきますね」

そう笑い返した顔は、自然に笑えていただろうか。

＊　　＊　　＊

琉司との生活も二カ月を過ぎた十月下旬。

久しぶりの兄からの呼び出しに、夏南は冬也のマンションへと向かった。

そろそろ兄の発情期の時期だ。またパートナーの智樹が不在で困っているのかと慌ててマンションに向かった夏南だったが、意外にも元気そうな冬也の姿に思わず拍子抜けしてしまった。

「発情期じゃなかったの？　具合が悪いのかと思って慌てて来たのに」

「ああ、悪かったよ。今日は違うんだ」

そう言って玄関まで出迎えてくれた冬也が、夏南をリビングへと促した。

「いま、発情期ストップしてるんだ」

言葉に含みを持たせながら冬也が夏南を見つめた。

オメガの発情期が一時的に停止する期間といえば、考えられる原因は一つしかない。

「お兄ちゃん、もしかして――？」

「ああ……妊娠したんだよ」

予想通りの答えに、夏南は少し照れくさそうな表情の冬也に駆け寄って、両手を握った。

オメガである兄は、もちろん妊娠が可能であったが、結婚後二人の時間を楽しみたいと敢えて子作りをしていないと聞いていた。

「おめでとう！　え？　いつ分かったの？」

「先月。夏南にも早く言おうと思ってたんだけど、おまえ婚約披露とかでバタバタしてただろう？」

「してたけど……早く教えてくれたらよかったのに！　そしたら、すぐ会いに来た」

大好きな兄と義兄の間にできた子供だ。夏南だって嬉しくて仕方がない。

「何言ってんだ。あのあとしばらくの間、外出るのも大変だったんだろ?」

「そうだけど! 智樹さん、何て? 喜んだでしょう?」

「ああ。報告したら、出張先からすっ飛んで帰って来た」

義兄の智樹はとても優しく、兄を大切にしてくれて、夏南にも良くしてくれている。彼の人柄を知っている夏南にはその姿が想像できた。

「ふふ。智樹さんらしい。ほんと、おめでとう!」

「夏南は? 彼とは順調?」

「うん。よくしてもらってる」

「肩身狭い思いしてないか? 何か嫌な思いさせられてるとか」

社会的地位に隔たりがあったのは兄夫婦も同じだ。何か思い当たることがあるのか、少し遠慮がちに冬也が訊《たず》ねた。

「ないない!」

「それならいいけど。家柄が家柄だけに、式の準備とかも大変なんじゃないのか?」

「ああ、うん。難しいことは、あちらでやってくれてるからそれほどじゃ……」

「もし俺が手伝えることあったら言えよ?」

「うん、ありがとう」

自分たちの結婚が、契約結婚であるということを、冬也は知らない。

妹である夏南が誰かに心から愛され幸せになることを願っている兄のことを思うと、嘘《うそ》をついていることに対してやはり心が痛む。

陽が落ちた頃、冬也のマンションから自宅に戻ると、玄関に琉司の靴があった。

兄のところに行ったことはすでに連絡済みであったが、ここのところ忙しくしていて夜も遅くに帰ってくることが多かった琉司が夏南より先に帰っていたことに驚いた。

「琉司さん？　もう帰ってたんですか？」

リビングにいた琉司に声を掛けると、彼がスーツのネクタイを緩めながら振り返った。

「おかえり」

「あの、どうかしたんですか？　もしかして体調が優れないとか？」

慌てて訊ねると、

「いや。夏南が夕方には帰ると言っていたろう？　僕もちょうど予定にキャンセルが出たんでね。久しぶりに外で食事でもどうかと少し早めに帰って来た」

という言葉が返ってきたことに、夏南は心からほっとした。

「食事の支度はまだだろう？」

「あ、はい……」

「夏南は何が食べたい？」

急に予想外なことを訊ねられて、夏南は「えーと……」と考え込んでしまった。

「好き嫌いはなかったよな？　僕の行きたい店でいい？」

「はい。私はどこでも」

「ちょっと待ってて。すぐ着替えてくる」

そう言ってから琉司が部屋に入って行ったあと、夏南は自分の服装をどうするべきかと聞き忘れたことを思い出して声を掛けようと思ったが、それより早く琉司がシンプルなシャツと細身のパンツというカジュアルな服装で部屋から出て来た。

「ん？　どうした？」

「――あ、いえ。私、こんな普段着でよかったのかなって思ってたので」

夏南が着ていたのもやはりシンプルなシャツにジーンズという本当にカジュアルなものだった。

「ああ。今日はむしろこういうほうがいい。このまま出掛けよう」

そう言った琉司がニットキャップを被り眼鏡を掛け、夏南にもキャップを被せた。

「え？　これ……」

「いいから、いいから」

そのまま琉司に手を引かれ、勢いのまま外に出た。

「どこへ行くんですか？」

「今日はいつもと趣向を変えようかと思ってね」

琉司は夏南の手を引きながら駅の方へと歩いて行く。

ICカードで改札を抜けホームに出ると、ちょうど電車が入って来たところだった。降車口近くに乗り込んだ琉司は、夏南を比較的人の少ないドア側へと促した。

夕方の電車は、帰宅ラッシュで混みあっていた。夏南が一人で出かけるときは大概電車だが、琉司と食事に出るときは車で移動することがほとんどなので、二人で電車に乗るのは新鮮だった。

「狭くないか？」

「大丈夫です」

どこに連れて行かれるのか分からないまま、琉司に手を引かれて電車を降りた場所には、大衆的な居酒屋などで賑わう繁華街が広がっていた。

「たまにはこういうところもいいだろう？　気になる店に入って行こう」

琉司にこれまで連れて行かれた店はどこもとても素敵であったが、夏南には少し敷居が高い場所ばかりだった。夏南がそんなふうに感じていたことをきっと琉司は分かっていたのだ。

「とりあえず、あそこ！　雰囲気が良さそうだな」

琉司が数メートル先にあるイタリアン系の居酒屋を指さした。

店内は若者で賑わっていたが、運良くカウンターが二席空いていて、愛想のいい若い店員に通された。

「何飲む？　好きなだけ飲んでいいよ。潰れても僕がちゃんと連れて帰る」

琉司が少し意地悪な表情を向け、夏南にメニューを差し出した。

「潰れるほど飲みませんから」

「はは。夏南が醜態晒《さら》すとこも見てみたい気もするが」

「だから、晒しませんってば！」

そう言いながら琉司がカウンターの中の店員に飲み物と、つまみを何品か注文した。

「乾杯！」

運ばれてきた飲み物を互いに手に取り、グラスを鳴らす。

なんというか、夏南にとって不思議な感覚だった。

帽子を被り眼鏡を掛けている琉司は、確かに見た目の品の良さは隠し切れていないが、どこにでもいる若者のように見えてくる。

誰も、高城グループの御曹司に気付いていない。

「琉司さん、意外とこういうお店慣れてます？」

「ああ。数年前までよく来てた。本当は変装なんて必要ないんだが、今日は夏南も一緒だし何かあったらと思って、一応な」

琉司が夏南に被せたキャップのつばを指でトントンとした。

夏南にキャップを被せたのは、自分を気遣ってのことだったのかと思うと急に胸がギュッとなる。

「連れて来て良かった。いつもよりリラックスしてるな」

確かに高級感溢《あふ》れる店では琉司との距離もずっと遠いし、こんなふうに隣で肩を並べて話すこともできない。

「男としては、女性をいい店に連れて行ってやりたいと思うだろう？　けど、夏南はいつも緊張して料理の味も分からないみたいだったからな」

「そ、そんなことないです！　連れて行ってもらったお店、凄く素敵でしたし、お料理だってとても美味しかったですもん！　慣れないから……ちょっと緊張してただけで」

「分かってるよ」

琉司が夏南を見つめ、その目を細めた。

「それも分かってる。夏南は、分かりやすい。思っていることがすぐに顔に出る。たまにはリラックスできる店もいいかと思って」

思いやりに溢れた優しい顔だ。

契約という関係で一緒にいるだけなのに、琉司はいつだって夏南に優しい。

大事にされていると思う。これ以上ないくらいに。

「嬉しいです……」

こうして琉司が自分に優しくしてくれることも、彼の一番近くにいることを許されていることも。

一緒にいると分からなくなってくる。どこまでが契約の範囲で、どこまでが琉司の本当の優しさなのか。優しくされると嬉しいくせに、どうしてか切なさに胸が締め付けられる。

「夏南。次はどこ行く？」

「え？　移動するんですか？」

「夏南がこの店が気に入ったならずっといても構わないが、せっかくいろんな店がある繁華街に来たんだ、梯子《はしご》してみないか？」

確かにこの繁華街には多くの飲食店が立ち並んでいる。

「いいですね！　私、あまりお酒を飲まないのでそういう発想すらなかった！　琉司さんといると初めてのことばかり」

これは出会ったときからずっとだ。

「夏南の初めてに、いつも僕が絡んでるってのは悪くないな」

そう言われて夏南は、思い出さなくてもいいことを思い出して琉司から視線を逸らした。

思い起こせば、男性にドキドキとしたのも彼が初めてだった。それまでの経験から男性に苦手意識を持っていた夏南が、その存在や佇《たたず》まいに嫌悪感を覚えなかった男性も彼が初めてだった。

夏南の身体に初めて触れたのも彼、まだ誰にも触れられてなかった身体を委ねたのも彼。

夏南にとって琉司は、いつだって特別だったということに改めて気が付いた。

帰りの電車の中はラッシュ時ほどではないが、わりと混みあっていた。

あのあと何軒か店を梯子し、少し呂律の回らなくなった夏南を心配した琉司に「そろそろ帰ろう」と言われ、今に至る。

ほろ酔いで心地よい電車の揺れに眠気を誘われ、夏南は琉司に掴まりながら目を閉じた。

――楽しかった。

リラックスした雰囲気の中、たわいもない話をしながら過ごした琉司との時間は本当に楽しかった。

彼が高城グループの人間であることや、契約のことを忘れ、普通のカップルのように過ごせた貴重な時間だった。

帰ろうと言われた時は、少し寂しい気持ちになった。家に帰れば、この楽しかった時間が本当に夢のように消えてしまうような気がしたからだ。

電車の揺れに合わせて大きく揺れた夏南の身体を支えながら琉司が訊ねた。

「夏南？　平気か？」

「はい……大丈夫です」

もたれている琉司の胸が一定のゆったりしたリズムで鼓動を打っていることに、なんだか安心したような気持ちになると同時に、こんなにも近い距離にドキドキとしているのは自分だけかと少しがっかりしたような気持ちにもなり、なんともいえない複雑な思いが夏南の胸を占める。

「あと一駅だから」

電車が駅に到着し、夏南は再び琉司に手を引かれながら電車を降りた。少しふらつく夏南の足元を心配した琉司がこちらを振り返って立ち止まる。

「歩けるか？」

「大丈夫です。そんなに飲んでないですよ」

ほんの少し顔が熱を持ち、ふわふわする感じはあるが、歩けないほど酔っているわけではない。

「行きましょう」

そう言って歩き出した夏南は、わずかな段差に足を取られ躓《つまず》いたところを琉司の力強い腕に支えられた。

「言ってるそばから。とんだ酔っ払いだな」

呆《あき》れてると言うより、どこか嬉しそうに笑う琉司に性懲りもなくドキドキする。

「大丈夫です。ちょっと躓いただけです！」

夏南が慌てて立ち上がると、琉司が夏南の前に背中を向けてしゃがみ込んだ。

「――え？」

「ほら。おぶってやるから」

「ええっ!?　何言ってるんですか！　いいです、いいです!!」

「遠慮するな」

「遠慮とかではなく……」

いい歳をした大人が、酒に酔って人に背負われる姿なんてとても見られたものじゃない。

胸の前で両手を振り、夏南が思いきり拒否すると、琉司が珍しく不機嫌な顔を露にした。

「僕に背負われるのが嫌か？」

「だから、そういうことじゃなくて……！　あの、私ちゃんと歩けますから」

自分がまともに歩けることをアピールしようと、夏南が目の前にしゃがみこんだ琉司を追い越し歩き出した途端、ぐらりと視界が揺れてそのままその場にしゃがみ込むという墓穴を掘った。

「ほら。まともに歩けない。けっこう飲んでたからな。思ったより足に来てるんだ」

「……う」

確かに楽しくていつもよりお酒が進んでいた自覚はある。けれど、こんなふうになってしまうなんて、と自分が情けなくなって俯《うつむ》いた。

「素直に背負われてくれたほうが、僕も早く家に辿《たど》り着けて助かるんだが」

そう言われてしまうと、夏南はもう彼に素直に従うしかなくなった。

「ほら」

夏南は再び目の前にしゃがみ込んだ琉司の肩に手を置き、大きな背中に身体を委ねた。

「……お、重くないですか？」

「何を今更」

マンションまでは駅から歩いてすぐだ。夜遅い時間ということもあり、人通りは少なかったが、こんな姿を誰かに見られたらと思うと気が気ではない。

彼の背中に身体を預けていると、時折吹く風に琉司の髪が揺れる。

「綺麗な髪……」

思わず呟《つぶや》くと、琉司が後ろを振り返った。

「髪がどうしたって？」

「いや、あの。琉司さんの、綺麗だなって思って……」

「そうかな？　色素が薄いのがコンプレックスなんだ。生みの母親がクォーターだったからな」

「え？　そうだったんですか？」

確かにどこか異国の血筋を感じさせる風貌ではあるが、そういったことを琉司から聞いたのは初めてだ。

「本当に、僕のことを何も知らないんだな。契約を結ぶにあたって、少しは僕のことを調べたりしなかったのか？」

「少しは……調べましたよ。高城グループのこととか。でも、ネットで調べられることは情報量が多過ぎるし、その中のどれが真実でどれが嘘かなんて分からない……だから自分自身の目で見た琉司さんを見極めたらいいかなって思ったんです」

夏南が答えると、琉司が「なるほど」と返事を返したあと再び歩き出した。

彼の背中に揺られながら頬で彼の体温を感じる。

誰かの温もり――ましてや夏南にとっては恐怖の対象であった男性である琉司の体温にこんなにも心を癒される日が来ようとは。

夏南にとって琉司は特別な存在だ。たとえ琉司にとって夏南がただの契約の相手でしかなかったとしても。

彼が笑えばそれだけで心が躍る。彼に触れられれば、それだけで身体が熱を持つ。

もっと触れたい、もっと近づきたい。もっと知りたい、もっと誰よりも傍に――。

こういう気持ちを、言葉にするならそれはきっと――恋だ。

「夏南」

ふいに名前を呼ばれ慌てて顔を上げると、琉司がこちらを振り返らず静かに言った。

「ここのところ考えてたことがあるんだ」

吹き抜けて行く風が、そよそよと周りの木々を揺らす。

「琉司さん……？」

ドキドキした気持ちで彼の言葉を待っていると、琉司が大きく息を吐いてから言葉を発した。

「いますぐってわけじゃないんだが――いろいろ落ち着いたらこの契約を解消しないか」

夏南は一瞬、その耳を疑った。

「――え？」

契約を、解消する――？

ケイヤク、カイショウ。

あまりに突然で衝撃的であった琉司の言葉に、夏南は返すべき言葉を失ったまま彼のシャツを指先で握りしめることしかできなかった。

＊　　＊　　＊

琉司の口から突然放たれた言葉は、思いのほか夏南の心を強く揺さぶった。

あの言葉の直後、琉司の元に掛かって来た仕事のトラブルの電話によって、その状況は目まぐるしく変わった。すぐさまトラブルの対応に追われた琉司は現場に直行し、ここ数日マンションに帰っていない。

時折、留守を預かる夏南のことを気に掛け連絡をくれるが、状況が切迫しているのか、短い言葉を交わすだけだった。

『契約を解消しないか』と言った琉司の言葉の真意は分からないまま、夏南は不安な日々を過ごしていた。

落ち着いたら、と琉司は言っていた。

元々、琉司に夏南が必要だったのは、父の正道が半年以内にパートナーを見つけろと彼に言ったことが発端だと聞いている。

つまり、琉司が自分で相手を見つけられなければ、正道の選んだ女性との縁談を勝手に進められてしまうことから逃れるためのものだ。

つい先日催されたパーティーで大々的に婚約の発表をし、世間的にも認知されるようになったばかりのいま、なぜ琉司が契約解消を言い出したのか夏南には見当もつかない。

「何かしちゃったのかな、私……」

偽とはいえ、彼の婚約者として至らないところは数多くあったのかもしれない。

彼と暮らすようになってからのことをいろいろと思い返してみたが、夏南が何をしても琉司はいつだって優しく、その優しさに甘えて自分の至らない点に気付けなくなっていたのかもしれない。

随分と短い期間ではあったが、琉司がそれを望むのなら従うしかない。

所詮、彼と自分は雇用主と従業員なのだから。そんな当たり前の事実が、ただただ悲しかった。

「こんなことなら……」

――こんなことなら、出会わなければよかった？　契約なんて結ばなければよかった？

それとも好きにならなければ――違う。誰かの傍にいることを心地よいと思ったり、愛おしいと思ったり……こんなにも温かな感情があることを夏南に教えてくれたのは彼だ。

どうして、琉司に言われた言葉が辛く胸に刺さるのか。

そんなことは明白だ。彼の傍にいたい、離れたくないと夏南が心から思っているからだ。

「いつのまに……こんなに好きになってたんだろう……」

夏南の心にまるで泉のように湧き上がって溢れる感情。

「好きなのに……」

気付いてしまった。ずっと気付かないふりをしていたその感情に。

＊　＊　＊

琉司が仕事中に倒れたと頼子から連絡が来たのは、夏南がそろそろ眠りにつこうとしていた夜遅くのことだった。

新規事業絡みのトラブルで琉司はあれからずっと現場近くのホテルに泊まり込んでいた。父の正道も現場の様子を見に来ていて、それに同行していた頼子が夏南に連絡をくれたのだった。

「それで、あの。琉司さんの容体は……？」

『それがまだはっきりとは分からないの。ここのところ忙しくて無理をしたせいだとは思うんだけど、琉司さんもともと身体が……』

「あの。何か――問題があるんですか？」

夏南の戸惑ったような返事に、頼子が遠慮がちに訊ねた。

『夏南さん――もしかして、琉司さんから何も聞いていないの？』

頼子の言葉に夏南は、スマホを握る手に力を込めた。

「どういうことですか？　何かあるんなら教えてください！」

夏南が訊ねると、頼子が電話の向こうで大きく息を吐き、呆れたように答えた。

『あなた……彼と一緒に居て本当に何も気付かなかったの？』

言われてみればいくつか思い当たることがあり、夏南ははっとした。そういえば、食事のあと彼が自室で何かの薬を服用しているのを何度か見掛けたことがある。

どこか具合の悪いところがあるのかと訊ねたことがあったが、ただの頭痛薬だと言われ、常に忙しい琉司ならたまにはそういったこともあるだろうと深く気に留めてはいなかったことを後悔した。

「あの、琉司さん何かの病気なんですか……？」

夏南の言葉に頼子が電話の向こうでしばらく沈黙し、やがて静かに口を開いた。

『それは私が話すことじゃないわ。彼があなたに話さなかったのにはもしかしたら何か理由があるのかもしれないし』

夏南は再びはっとした。彼に契約を解消しようと言われたことを思い出す。

はじめからそのつもりだったから——？　すぐに解消するような関係だから言う必要もなかった？

『あなた……もしかして琉司さんにあまり信用されていないんじゃなくて？　これから結婚を控えた婚約者に彼が大事なことを話していないなんておかしいわ』

頼子の言葉が夏南の心の中に生まれた疑念に追い打ちを掛けた。

不安で急に鼓動が速くなり、スマホを持ったままの夏南の指先が微かに震える。

「あの！　明日、私もそちらに向かいます！」

咄嗟《とっさ》にそう言ったのは、いまはただ彼が無事であることをこの目で確かめたいという思いからだった。

——琉司さんに会いたい。

逸る気持ちを抑えきれずに夏南が言うと、電話の向こうで頼子が大きく息を吐いた。

『夏南さん、落ち着いてちょうだい。それは結構よ。とりあえず私が付いているし、あなたが来てくれたところで状況が変わるわけでもないから』

そう答えた頼子に夏南は返す言葉を失った。確かに夏南が彼の元に行ったところで、何ができるというわけでもない。

『今夜は遅いから明日詳しい検査をすると思うの。彼の容態次第であなたにもちゃんと連絡を入れるわ。必要なら来てもらうようにするからいまはそこにいてちょうだい』

「……分かりました」

夏南は素直に返事をし、その場は頼子の言葉に従った。

思い起こせば彼が薬を飲んでいるのを見たのは一度や二度ではなかった。たいしたことはないと言われてそれを素直に信じてしまった自分の浅はかさを猛省する。

「琉司さん……」

もし、彼に何かあったら——？　もし、彼がこのまま帰ってこなかったら？

そんな恐ろしい想像ばかりを繰り返して、夏南は一晩中枕を涙で濡《ぬ》らした。

翌日になっても頼子からの連絡はなく、気持ちばかりが逸り、必要ないと言われたにも関わらず夏南は琉司の元へ向かう準備を整えた。一目でもいいから、彼に会いたい。ただその一心だった。

ちょうど家を出ようとした時、突然夏南のスマホが鳴った。慌ててスマホを手に取ると、ディスプレイに表示された琉司の名前に夏南の心臓が跳ねた。

「もしもし、琉司さん⁉」

『ああ、夏南』

聞き慣れた優しい彼の声色に、それまで張り詰めていた緊張が少し緩む。

「あの、体調は？　大丈夫なんですか？　詳しい検査とかされたんですか？　今どこですか？」

矢継ぎ早に夏南が訊ねると、琉司がそれに気圧されたように電話の向こうで小さく笑った。

『心配をかけてしまったようだな。ただの過労だよ。一晩入院してぐっすり眠ったからもう平気だ』

その琉司の言葉に夏南はひとまずほっとした。彼本人が連絡してくるくらいだ、命に関わるような危機的症状ではなかったことに夏南はほっと胸を撫《な》で下ろす。

「……よかった。あの、私これからそっちに向かおうと思っていたんです」

『これから？　その必要はないよ。言っただろう？　ただの過労だ。少し休んだら、夕方また仕事に戻らないと』

「えっ⁉　昨日の今日でですか？」

『まだちょっといろいろバタついていてね。一段落つくまでは、ゆっくり休んでもいられないんだ。そっちに帰るのもまだ少し先になる』

こうして元気そうな声を聞かせて貰《もら》えたことは嬉しいが、倒れたばかりですぐに仕事に復帰だなんて、彼の身体のことを考えると心配でたまらない。

「身体は本当に大丈夫なんですか？　あまり無理は……」

『平気だよ、少し疲れが溜《た》まっていただけだから。心配しないで夏南はそこで僕の帰りを待ってて。なるべく早く帰れるようにする』

聞きたいこと、話したいことは山ほどあったが、今は彼の言葉に従うしかない。

「……分かりました。無理しないでくださいね。今夜、電話してもいいですか？　声だけでも聞けたら安心するので」

「分かった。仕事が終わったら僕の方から連絡を入れるようにするよ。約束する」

「はい。どんなに遅くても待ってます」

たとえ会いに行けなくても、声だけでも聞きたい。彼が元気であるということを自分の耳で確かめたい。

頼子に彼が何かを抱えていることを知らされてから、一層そんな思いが強くなった。彼が帰ってきたら、すべてを話してもらおう。

不安を抱えたまま一人でぐるぐると考えていても仕方がないのだ。

契約解消のことも含め、彼に聞きたいことを聞いて、そのうえで自分がどうしたいのか彼にちゃんと伝えたい。

このまま何もしないで彼と離れてしまうのは絶対に嫌だ。夏南はそう決意して両手をギュッと握りしめた。

＊　＊　＊

それからしばらくして琉司がマンションに帰って来たのは、彼から契約解消を切り出されたあの夜から十日ほど経った夜遅い時間のことだった。

なんとなく眠れずに喉が渇いてキッチンで水を飲んでいたとき、玄関先で小さな物音がしたような気がして様子を窺《うかが》うと、そこには久しぶりに見る琉司の姿があった。

「琉司さん……?」

「ああ……夏南。ただいま」

「おかえりなさい」

久しぶりに顔を合わせた琉司はやはり少し疲れているように見えた。それでも顔を見ただけでほっとして胸に熱いものが込み上げてくる。

「あの……琉司さん、あれから体調は?」

彼のことが心配で毎晩のようにその体調を確認していたにも関わらず、こうしてまた訊ねてしまう。

「大丈夫だよ。さすがに少し疲れてはいるけど」

「お仕事のほうは……？」

「ああ、なんとか落ち着いた」

そう言うと琉司は柔らかく微笑んだかと思うと、夏南のほうに手を伸ばしてそのまま夏南をふわりと腕に抱いた。

「あの……」

「ちょっとだけこのまま」

珍しく切迫したように響く琉司の声に、夏南はそのまま琉司の言葉を受け入れた。

触れることに慣れた彼の身体が、優しく夏南の身体を包む。ちょうど夏南の耳元の高さにある彼の心臓がゆったりとした鼓動を打っている。

琉司に会ったら聞きたいことは沢山あった。けれど、こんなふうに自分を優しく包み、心から安らいだ様子の彼を見ていたらそんなことはどうでもよくなってしまう。

「やっぱり、安心するな。夏南の匂い」

――安心しているのは、私のほうだ。

こうして抱き締められて、彼の体温を感じて、ざわざわとしていた心が嘘のように落ち着いてくるのが分かる。

夏南は無意識に琉司の背中に手をまわし、彼の身体を抱きしめ返していた。

疲れ切ったような様子の琉司に、どんな言葉を掛けてやればいいのか正直よく分からない。けれど、少しでも彼の癒しになればいいという一心で夏南はただ黙って彼の背中を優しく撫で続けた。


そのあとシャワーを浴び、幾分すっきりとした表情で戻って来た琉司に夏南は簡単な夜食を用意した。

「琉司さん帰って来るって知らなかったから、こんなもので……」

と言いかけて夏南ははっとした。

「あの、もしかして帰るって連絡くれてました？」

基本的に普段からこまめに連絡をくれる琉司のことだ。夏南が気付かなかっただけで連絡をくれていたのかもしれない――そう思ったら、自分の至らなさを自覚し、情けない気持ちになった。

こういうところなのかもしれない。琉司が夏南との契約を解消したいと思う理由は。

「連絡はしていないよ。今夜帰れるかどうかもギリギリまで微妙だったんだ」

そう答えた琉司が、小さく両手を合わせ「いただきます」と言ってから夏南の用意した夜食に箸を付けた。

「けど、目処がついたらどうしても帰りたくなってね。強行突破して帰って来たんだ。帰って来て良かったよ。まさか、起きてる夏南の顔を見れるなんて思ってなかった」

琉司の言葉をその言葉通りに受け取れば、まるで自分に会いたかったように聞こえてくるから厄介だ。

契約を解消して、この関係をいずれ清算したいと言い出した彼が、そんなことを思うはずがないのに。

苦しい――。胸の痛みを感じるのと同時に、なんとも言えない感情が湧き上がって目頭が熱くなる。それを悟られないよう、何か用事があるふりをしてキッチンに引っ込んだ。

食事を終えた琉司の食器を片付けリビングに戻ると、先に休んでいると思っていた琉司がソファに座っていた。

「まだ……お休みにならないんですか？」

「夏南を待ってた。今夜は僕の部屋で寝ないか」

そう言われて夏南は、戸惑った表情のまま彼を見つめ返した。

「気が進まない？　嫌なら嫌って言ってくれていいんだ」

「嫌とかじゃ……」

なんと答えていいか分からずに、夏南は思わず口ごもった。

「夏南」

「はい」

「夏南は――僕が、怖い？」

思いがけないことを訊ねられて夏南は「え」と短い言葉を発した。

「少し前から、様子がおかしかっただろう？　僕が触れようとするとさりげなく避けたり、目を逸らしたり……ずっと気になっていたんだ」

少し前からというのは、たぶん夏南が過剰に琉司を意識し始めてからのことだろう。

何をしていても目で追ってしまうくせに、彼に見つめられると恥ずかしさに目を逸らし、少しでも彼が自分に触れるような素振りをみせれば、意識して避けてしまっていた。

どうしてなのか、普通にできない。それほど夏南は琉司を意識するようになっていた。

そんな夏南の態度を琉司は不審に思っていたのだろう。

「僕が嫌になった？　――って聞き方はおかしいか。そもそも僕が強引に夏南に契約を迫ったんだ。真面目なきみのことだ、仕事のために無理をしていたんじゃないのか？」

琉司の言葉に、夏南は大きく頭を振った。

「違います！　そんなんじゃ……」

「じゃあ、様子がおかしかったのはなぜ？」

夏南は、咄嗟に返す言葉を失った。

確かに、これまでにも何度か琉司に「どうかしたのか」と訊かれていた。彼を意識し過ぎてどうしていいか分からなくて「なんでもない」と誤魔化し続けて来たのは自分だ。

「それは……」

言いかけて、夏南自身が一番気に掛かっていることを言葉にした。

「琉司さんこそ……急に契約を解消しようなんて」

心の奥に重くのしかかり続けていた言葉。

その真意を知りたいと思っていたが、仕事のトラブルに加え、彼自身が体調を崩したりしていた大変なときにそんな話で煩わせてはと思いずっと口に出すことを我慢してきた。

「私こそ、何かしましたか？　琉司さんの気に障るような……契約を解消したいと思うような重大なミスでもしましたか？」

「――え？」

「確かに私に至らないところは多かったかもしれないです。こういう特殊なお仕事をするのは初めてだったし、勝手が分からなくて……後になってあれでよかったのかって思うことも正直たくさんありました。でも、琉司さん、何も言わなかった……あれはこんなもんだろうって諦めてたから何も言わなかったんですか？」

違う……！　本当はこんなことを言いたいんじゃない。

なのに、夏南の口から吐かれた言葉はどれも彼を責めるような言葉ばかりだった。

「だったら！　その時に言ってくれたら……。それとも、婚約者としても私は用済みですか？　結婚するふりをして、世間を欺ければそれで終わりってことですか？」

益々感情的になっていく自分を抑えることができずに、まくしたてる。

こんな自分はみっともなくて嫌だ。

彼が悪いわけじゃない。もともと、そういう契約だった。はっきりとした期限が設けられていたわけじゃないが、いつか終わりが来ると分かっていたはずなのに、夏南が想像したより遙《はる》かに早くその時期が来てしまったことに戸惑いを隠せないのだ。

それだけなら、まだよかった。

いつの間にか芽生えていた琉司に対する特別な感情を持て余して、それを幼い子供のようにぶつけているだけ――。

「何を言っているんだ?」

普段冷静な琉司が、珍しく動揺を見せた。

――バカみたいだ。自分が情けなくて、恥ずかしくて、涙が零れた。

「夏南。少し落ち着いて」

琉司に両腕を摑まれた夏南はそのまま床にへたりこんだ。そんな夏南を少し困ったような表情で見つめた琉司は、夏南の身体を支えながらソファに座らせて微笑んだ。

「僕が、言葉足らずだったようだ。ちゃんと話すから、聞いてくれるか?」

琉司の言葉に、夏南は戸惑いながらも小さく頷《うなず》いた。

夏南をソファに座らせたまま、琉司はその正面に座ると夏南を見上げた。

「契約を解消しようと言ったのは、夏南が何かしたとか、そういうことじゃない。むしろ逆なんだ」

そう言った琉司を、夏南はまっすぐ見つめた。

「何から話そう――ああ、順を追って話した方がいいか」

琉司が、慎重に次の言葉を選ぶように呟いた。

「高城グループのトップの息子……僕のような立場は、一見華やかに見えるが結構孤独でね。名声自体は父親のものであるけど、愛人の子とはいえ、息子である僕は幼い頃から多くの影響を受けてきたんだ。いい意味でも、悪い意味でもね」

そう言った琉司の声は淡々としていた。

「とくに父の仕事を手伝うようになってからは、高い名声を目当てに近づいてくる人間も多かった。僕はまだ若かったし、そういう人間を信じて酷く裏切られたこともあった。そんなことを繰り返していくうちに段々と自分に近づいてくる人間を信じられなくなっていったんだ」

静かに過去を語る彼の口調にはどこか寂しさのようなものが窺えた。

他人から見れば恵まれた立場のように思えるが、高城グループという大きな看板を背負うことを余儀なくされた彼が、その立場故に生きづらい思いをすることもあったのかもしれない。

「人間不信というか——それは異性に対しても同じでね。自分に近づいてくる女性は僕が好きなのではなく、僕の父の名声目当てのように思えてしまってね。恋愛や結婚の類は諦めていたんだよ。実際、この歳まで色恋にさほど興味もなかったし、まともな恋愛経験もなくてね。僕自身それでもいいと思っていたんだ」

初めて聞いた話だった。

琉司はこれまで自分の過去の恋愛について自ら話してくれたことはなかった。

「夏南に、契約を持ち掛けたのは、それこそ父親の無茶な要求を満たすためだった。それは契約の時に話したね」

どういう経緯で偽の婚約者が必要だったかということは夏南も承知している。

愛人の子であった琉司をこの家に迎え、正道が自分の跡取りとして彼に英才教育をしていたこと。のちに生まれた駆にも同じような教育をしたが、頭角を現したのはやはり元々優秀なアルファの遺伝子を持つ琉司だった。

当然父の正道は優秀な琉司を自分の跡取りにと考え、琉司のほうも恩を返すという意味で父の意向に従わざるを得なかった。琉司にパートナーが必要だった理由は、家庭を持たせ社会的にも琉司が高城家の跡取りであることを正道が世間にアピールしたかったからだと聞いた。

「父に相手を決められてしまうということにも抵抗があって、何としても自分でその相手を見つけたかったんだ。夏南と会ったのはそれより少し前だったが、僕にとってとにかくきみの印象は強烈だった——理由は話したろう?」

アルファでありながらオメガの発情フェロモンの影響を受けない特異体質であった琉司が初めてその影響を受けたのが夏南だったということだ。

「父親の意向に沿うような相手を見つけなければいけない——それには期限もあったし、焦った僕は考えた。で、少し前に会ったきみのことを思い出した」

そう言った琉司が夏南を見つめた。

「僕はどうしても自分で相手を見つけたかったたし、その相手は少しでも興味を持てる相手がよかった。それが夏南だったんだよ。きみが仕事に困ってるなら好都合、それを利用できないかと思ったんだ」

そこまで言って琉司が小さく息を吐いた。

「きみと取引をするために必要なことを僕なりに考えた。僕はどうしてもきみがいいと思ったし、きみが話に乗ってくれるよう、いろいろとね。利用しようとしたって言うと聞こえは悪いが、オメガに生まれたばかりに仕事も長続きせず、困っているきみに手を貸してやりたいと思ったのも事実だよ。契約という形を取れば、きみに仕事や住む家を与える理由ができると思ったんだ」

事実、その契約に夏南は救われている。

「番の件も同じだよ。いまそうあるように、僕がきみの番になれば誘発フェロモンによって不要なトラブルに巻き込まれることもなくなる。フェロモンによって他のアルファやベータを惹《ひ》きつけることに怯《おび》える必要がなくなれば、ずっと生きやすくなる。僕が持ち掛けた契約はきみにとって大きなメリットになったはずだ」

そこまで言って琉司が何かを考えるように言葉を切った。

「それに——もし、僕に万が一のことがあれば、死別によって番関係は自然解消され、きみは再び自由の身になる。僕の元で働いた分の貯えがあれば当面は生活に困らないだろうし、きみには別の男と幸せを見つけるという選択肢も増える」

そこまで言った琉司は立ち上がると、ゆっくりと窓のほうへ歩いて行った。窓際に立つと夏南に背中を向けたまま言葉を続けた。

「契約を解消しようと言ったのは、夏南が何かしたとかじゃない。むしろ逆だよ」

「逆……？」

琉司のこれまでの説明を聞く限り、確かに夏南のほうに落ち度があったとかそういった類の話は一切出てきていない。

だとすれば他に理由がある？

逆とはどういうことだろう？　夏南はますますわけが分からなくなってしまった。

「琉司さん」

夏南はソファから立ち上がり、そっと彼に近づいた。琉司は窓の外に視線を向けたまま黙っていたが、やがて静かに口を開いた。

「ここでの生活は夏南にとってどうだった？」

彼と過ごすようになってからのことを思い返しながら、夏南は窓の外の景色に視線を移した。琉司との生活にははじめは戸惑うこともあったが、それはまるでいま目の前に広がっている夜景のようだった。毎日が新鮮でキラキラと輝いていた。

「夢みたいだなって思いました。初めてのことばかりで驚くことはたくさんありましたけど、それはいい意味です。いまだって、毎日……夢のようですよ」

「それは、僕にとってもだよ」

そう言った琉司が夏南を見つめた。

「夏南との生活は、なんていうか予想以上に心地よかった。夏南が自分のやるべき仕事として僕が快適に過ごせるよう気を遣ってくれていたのかもしれないが、それでも——ね。そのうち、欲が出た。元々僕から言い出したことだって分かっていても契約という形に縛られることに我慢が出来なくなった」

そこで琉司が言葉を切り、ひと呼吸おいたあと再びゆっくり口を開いた。

「はじめはただの好奇心のようなものだった。けど、きみと過ごすうちにだんだんときみに惹かれていった。このまま、夏南と暮らしたいと思っている。契約なんかでなく、本当の人生のパートナーとして」

そうして真っ直ぐこちらを見つめる琉司の目に、夏南は何度も瞬きを繰り返す。

「え、……ええ？」

彼の言葉が予想の斜め上を行き過ぎて、夏南の頭の中の処理能力が追い付かない。

「随分な反応だな。そんなに驚くこと？　それともそんなに嫌だったか？」

「あの、違っ！　だって……私てっきり……」

自分が至らないばかりに、契約を解消されるのだと思っていた。琉司にこんなふうに言って貰えるなんてことは想像もしていなかった。

「待ってくださ……」

そう言いながら、夏南は心から安堵《あんど》していた。契約を解消されたら、もう彼と関わることはなくなるのだと思っていた。

まるで夢から覚めたように、過ごした時間も出会ったことさえ全部なかったことになってしまうのだと思っていた。

湧き上がる安堵感とともに、まだ彼の傍にいられる——それだけで胸の中に熱いものが込み上げてくる。

「夏南。その涙はどういう意味だって捉えればいい？」

琉司の手が夏南の頬に触れ、いつの間にか零れた涙を指で拭っている。彼の温かな手に触れられて、堪えていた感情が一気に涙となって溢れた。

「……かった」

「え？」

「……よ、かった。もう、傍にいられなくなるって思って……契約解消しようって言われてどうしようって……」

絞り出すように呟いて、膝から崩れるように倒れそうになった夏南の身体を琉司が力強く受け止めた。

「それは、夏南も僕の傍にいたいって思ってくれてるってことか？」

返事の代わりに瞬きをした目からこれでもかというほど涙が溢れ、それを見ていた琉司が手のひらでその涙を拭いた。

「なんだか懐かしいな。こんなふうにきみが泣くの見るの。初めて会ったときもそうだったろう。覚えてないか?」

――覚えている。

会ったその日に属性の本能に抗うことができずに彼に身体を許し、恨み言を言ったこと。

「いま思えば酷い男だな、僕も」

夏南は小さく首を振った。

確かに出会いはあんなふうだった。身体からの繋がりだったかもしれないが、一緒に暮らすうちに彼の優しさに触れ、次第に惹かれていった。琉司と出会わなければ、こんな気持ちは一生知ることがなかった。

「酷いなんて思ったこと、一度もない……琉司さんが嫌でないならこのままずっと傍にいたいです」

夏南にとって一番シンプルで一番強い望みを素直に言葉にした。

その言葉に嬉しそうに頷いた琉司がそっと夏南を抱き寄せる。

「嫌なわけないだろう。このまますきみと暮らしたいと言ったのは僕だ。――好きだよ、夏南」

耳元で優しく吐かれた言葉に、夏南の心は信じられないような幸福感に満たされた。

「私も……好きです。琉司さんが、好きです」

琉司が夏南の身体を強く抱き締め、夏南もそんな彼にこの気持ちが伝わるよう強くしがみついた。

——愛しい。それ以外の感情が入り込む余地がない。

「ダメだ、顔がにやける。好きな相手に同じように好きだと言って貰えることがこんなに嬉しいとはな……」

そんな琉司の言葉を聞いて、夏南はゆっくりと身体を離し琉司の顔を見つめた。

「まじまじ見るな」

顔を背けた琉司のいつもと変わらない大人びてクールな表情が、確かにほんの少しだけ赤らんで緩んでいるように見える。

こんな顔を見られるなんて。

見つめられるとドキドキして、触れられるとそわそわして落ち着かない気持ちになるのは自分だけではなくて、もしかしたら琉司も——と思うとくすぐったい気持ちになり自然と頬が緩んだ。

「やっと笑ってくれたな」

「え？」

「夏南のそういう顔がもっと見たい。ここのところずっと浮かない様子だった。——そうさせていたのは僕の言葉が足りなかったせいだ。悪かった」

「そ、そんな琉司さんが謝ることじゃ……」

「他に原因があった？」

確かにいろいろと考えていたこともあるが、琉司に対して変な態度になってしまうのは自分の気持ちの問題だった。

それを言うべきかどうか一瞬迷いはしたが、またあらぬ誤解をされるのも、と思い夏南は遠慮がちに口を開いた。

「私が……勝手に、琉司さんを意識して、おかしな態度をとってしまってただけで」

夏南の言葉に琉司が驚いたような顔をした。

「はは。なんだ。あれ……意識されてたのか」

改めて言われると恥ずかしいものがあるが、事実なのだから返す言葉もない。

「そう思えば、おかしな態度も案外悪くないな」

まるで子供のように嬉しそうに笑った琉司の笑顔に胸がぎゅっとなる。そのままひょいと抱き上げられ「え？　え？　ちょっ」と慌てている間に、彼の寝室に運び込まれてベッドに押し倒されてしまった。

「今夜は、ここに一緒にいてくれるんだろう？」

「え？」

「拒否権は与えない。僕を嫌いなのなら仕方がないが、そうではないんだろう？　何のためにこんな深夜に無理して帰って来たと思ってるんだ」

「無理……して帰って来てたんですか？」

「ああ、そうだ。早く夏南の顔を見たくてね。少しでも時間ができれば帰ろうとしていたが、実際そうもいかなくて十日も家を空ける羽目になった」

さっきから夢のような言葉ばかりを聞いているような気がする。

好きな人が自分を好きだと言ってくれて、ずっと傍にいて欲しいと言ってくれて。自分に会うために無理をして帰って来てくれたなんて事実を知ったら、それが嬉しくないはずがない。

「もう余計なことは考えなくていい。僕の傍にいることだけ考えて」

琉司の真っ直ぐな視線を、夏南も真っ直ぐ受け止めた。

「はい……」

目が合って、触れられると、やっぱりドキドキし過ぎて心臓が跳ね上がる。

それでも、胸の中に言いようのない温かな気持ちが広がるのは、お互いの気持ちが同じなのだと知ることができたからだ。

「夏南」

琉司の手が優しく夏南の頬を包み込んだ。

夏南も彼を見上げたままそっと琉司の頬に手を添えると、そのまま近づいてきた琉司の唇が夏南の唇を塞ぐのをこれ以上ない幸せな気持ちで受け止める。

琉司のキスに熱がこもり、応える夏南の吐息も次第に荒くなる。琉司が唇を離し、柔らかく微笑んだかと思うと夏南の首筋に唇を這《は》わせる。彼の手が部屋着の裾をたくし上げ夏南の肌に触れた。

このまま彼の熱を受け止めていたい——そんな思いもあったが、夏南は気持ちにブレーキを掛けるようにそっと琉司の身体を押し返した。

「琉司さん……これ以上はダメ、です」

夏南の言葉に琉司が熱を含んだ声で不思議そうに訊ねた。

「どうして？　夏南は僕に抱かれたくない？」

「そういうわけじゃ……琉司さんまだ病み上がりでしょう？　それに夜も遅いので。明日のお仕事に響きます」

そう言うと、琉司が珍しく子供のように唇を尖《とが》らせた。

彼のこんな表情を見るのは初めてだ。夏南よりずっと大人で、いつも余裕をみせる琉司のことを、ほんの一瞬可愛いなんて思ってしまったことは内緒にしておこう。

「今夜は、朝までずっと隣にいます。こうして琉司さんの体温を感じられるだけで十分です」

「夏南を抱きたくて堪らない僕には、それこそ拷問だけど」

「気持ちは嬉しいです。私だって、本当は――。でも今夜はそうさせてください、お願い」

夏南だって本音を言えば、琉司が欲しくないわけではない。

でも、忙しかった仕事が落ち着いてようやく帰宅できたばかりだ。疲労が蓄積しているのは想像に難くないし、何をおいても彼にゆっくり身体を休めて欲しいと思ったのだ。

「琉司さんの匂い、私も安心します。このまま琉司さんのそばで眠らせてください」

そう言って夏南が琉司に身体を寄せて静かに目を閉じると、彼が諦めたように小さく息を吐いた。それから夏南を腕の中に閉じ込めるようにして寝る体勢を整えると、夏南の耳元で琉司がそっと囁いた。

「でも夏南。次は我慢したりしないよ？　思う存分抱くから覚悟して」

「……はい。私も次は我慢しません」

そう返事をしてから、自分の発言の大胆さに気付いて恥ずかしさに顔を覆う。琉司がそんな夏南の手を剝ぎ表情を覗き込み、互いの鼻と鼻が触れ合うほどの至近距離で目が合った。

「夏南。もう一度キスしたい。それくらいの我儘《わがまま》きいてくれてもいいだろう？」

少し甘えるような琉司の声に、胸がぎゅっとなる。

彼がそう言ったからではなく、自らそうしたいんだというように夏南が琉司に唇を寄せると、ふいを突かれた琉司が驚いたようにごくりと唾を飲み、照れくさそうに微笑んだ。

8

「夏南。平気か？」

そう言って琉司は玄関先で靴を履き、見送りに出て来た夏南を振り返った。

夏南の顔色が少し優れないのは、発情期の兆しがすでに出て来ているからだ。

オメガという属性に生まれた宿命とはいえ、抗い難いほど強烈な性欲に翻弄され苦しむ姿を知りながら傍にいてやれないのは辛くもある。

「はい、大丈夫です。昼間はまだ薬も効くので……」

「何かあったら連絡を。くれぐれも無理はするな」

「分かってます」

そう返事をして琉司に笑顔を見せた夏南の額に唇を付けると、夏南が照れくさそうに狼狽《うろた》える。何度となく繰り返している朝のルーティンであるが、いつまでも慣れない様子で恥ずかしがる姿は毎朝新鮮で琉司の心を和ませた。

少々気持ちのすれ違いはあったものの、お互いの気持ちを確かめ合ったのは少し前のこと。まだまだぎこちなくはあるが、本物の恋人として、パートナーとしてこの先の人生を

はなくなっていた。

共に歩むことを誓った。

偶然出会い、契約という形で繋《つな》がった関係だったが、今となってはそれは重要なことではなくなっていた。

仕事を終え帰宅すると、部屋のドアを開けた瞬間から漏れ出る甘い香りに鼻腔《びくう》を刺激された。かなり強い香りを発していることから、彼女の発情が本格化しているのだと推測できる。

「夏南?」

リビングを抜け寝室のドアを開けた途端、クラクラするような香りに思わずたじろいだ。

「琉司……さ、ん?」

琉司の帰りに気付いた夏南が、ベッドからゆっくり起き上がってうつろな目でこちらを見た。顔が紅潮して息も少し荒く、強い発情の症状が見て取れる。

「ああ。今帰った。……きついか?」

「夕方特効薬打ったのに……あまり効かなくて……」

「何か口にいれるか?」

琉司が訊《たず》ねると夏南が切なそうに首を振った。

「それより琉司さん……辛いです。辛くて変になりそう……」

発情期の夏南を見るのはこれで何度目かになるが、初めて会ったときより明らかにその症状が強く出るようになっている。

彼女の発するフェロモンに欲望を煽《あお》られるのも初めてではないが、琉司自身もまたその影響を強く受けるようになっていた。

「僕にどうしてほしい？　口に出して言えば、その通りにしてやる」

琉司はスーツを脱ぎ、ネクタイを解きながら夏南に訊ねた。彼女が悦ぶところはすでに知り尽くしているのに、こんなふうに訊ねるのはたぶん彼女への支配欲だ。

「触って、ください……」

夏南が素直に答えるのも理性より欲望が上回る発情中ならではだ。どちらかといえば理性的で、こういったことを口にすることさえ恥じらう彼女の言葉は琉司の欲を煽る。

「どこに触れて欲しい？　――ここか？　それともここか？」

琉司がわざと彼女を焦らすように唇や頬に触れると、たったそれだけで指先に痺《しび》れが走る。それは夏南も同じだったようで、薄く開いた唇から甘い声が漏れた。

初めて触れた時からそうだった。発情中の夏南に触れると、その触れたところに痺れが走り、一層の快感を引き立てるのだ。

余程強い発情に襲われているのか、夏南が自ら琉司の手を引いて胸へと導いた。

「触ってください、もっと。じゃないと……寂しくておかしくなる」

今日一日、長い時間ひとりでこの発情に耐えていたのだろう。

もう限界だとでもいうように切なそうに自分を誘う夏南に、琉司自身も堪らなくなってシャツを脱ぎ捨て、彼女をベッドの上へ抑えつけた。

はだけたシャツから白い胸のふくらみとこぼれそうな可憐《かれん》な蕾《つぼみ》が覗《のぞ》いた。

「積極的なのは嬉《うれ》しいが、そんなに煽るな――」

優しくしたいのに、それができなくなる。

肩で浅く息をする夏南の下肢にそっと掌を這《は》わせると肌が少し汗ばんでいた。焦れたようにモゾと動かした足の間に割るように腕を差し入れ下着に指を掛けると、夏南がピクと反応した。

「ここか？　触れて欲しいのは」

琉司の問いに夏南は一度視線を外してから、その先を期待するような視線を返した。

彼女の敏感な部分にそっと触れると、ぬるりとした感触が琉司の指に纏《まと》わりつく。

「酷く濡《ぬ》れてるな。ちょっと触れただけで僕の指に吸い付いてくる。このままこれを差し入れたらどうなるかな」

少し指を動かしただけで、まるでそこに迎え入れられているように指がみるみる潤みに沈んでいく。

「あ……ぁあ、あ」

彼女の熱を帯びた声と、むせ返るような甘い香りに頭がクラクラとする。

「琉司さ……」

力いっぱい自分にしがみついてくる夏南の誘う声に、自分の中の何かが飛びそうになる。

「必死だな。これじゃ、足りないのか？」

指だけで一度イケれば多少楽になるのだろうが、快感が高まっているのは伝わって来るのに、達するまでには至らないのか依然苦しそうに琉司を求める。

「もっ、苦しいの、助けて……」

「夏南」

「琉司さ、お願……」

発情中は一晩に何度もその症状が現れる。あまり彼女の身体に負担は掛けたくないが、達することができずに苦しい思いをさせるのもそれはそれで忍びない。

切なげな声を上げる夏南の前で、琉司は身に付けているものを全て脱ぎ捨てた。すでに屹立《きつりつ》している自身の昂《たかぶ》りを突き立てると、夏南が容易く飲み込んだ。

夏南の熱い身体が琉司を締め付け、これでもかと吸い付いてくる。こんなにも激しい快楽に逆らおうとする方が無理だ。

「……あ、ぁあ、……気持ち、い、ぁあ。こんな、の……ぁ」

彼女の声に煽られながら、その先の快楽を求めるように腰を動かす。中をかきまぜるように、それからもっと深く繋がりたくて彼女の一番深い部分を探る。

「あ、ぃ……や、琉司さ……ん」

悲鳴に近いような甘い喘《あえ》ぎ声と、快感に溺れいやらしく乱れる夏南の姿がますます琉司の欲を煽る。

「夏南、ごめん。気持ちよ過ぎて止まらない……！」

結局こうなってしまうのだ。

できるだけ優しく抱いてやりたいのに、彼女のフェロモンにあてられ、自分自身が暴走してしまう。理性など、彼女のまえでは一瞬で吹き飛んでしまう。

まるで獣だ——。

発情しては性交でその熱を鎮めるというのを数日間繰り返すのだから、体力の消耗も相当なものだ。それに付き合うパートナーも同様だ。

隣で小さな寝息を立てていた夏南が、うっすらと目を開け、焦点の定まらない視線をこちらに向けたが、相手が琉司だと分かると安心したように表情を緩めた。

「少し眠れたか？　身体は……？」

「はい、大丈夫です。琉司さんこそ……」

「僕は平気だ」

自分でも驚いているのだが、フェロモンの影響を受けているときの性欲はとどまることを知らない。何度達してもすぐに勃ち、彼女を抱かずにはいられなくなる。

ゆっくりと起き上がった夏南が布団で胸元を隠しながら遠慮がちに訊ねた。

「琉司さん……あれから体調は？」

「ああ——問題ないよ。言ったろう？　あの時はたまたま過労で」

少し前に倒れて以降、夏南は常に琉司の体調を気に掛けるようになった。

夏南に余計な心配を掛けたくないばかりに自身の病のことは伏せて来たが、いずれは彼女にも話さなければならない時が来るのは分かっている。

薬はいまだに飲み続けているが、これといって問題を指摘されたこともない。

確かに見方によっては爆弾を抱えていることにはなるが、それが本当に爆弾になるのかは今後の症状の出方次第である。今のところ問題はないのも事実で、このまま何事もなく過ごして行ける可能性もある。

「本当に大丈夫ですか？　無理しているなんてことは……」

「どうしてそう思う？　見てのとおり、僕は元気だ。こうして一晩に何度も夏南を抱くことが出来るくらいにね」

琉司の言葉に、夏南が何とも言えない表情を返す。

「……でも」

夏南が何か言いたげな、それでいて敢えてそれを飲み込むような複雑な表情を向けるのに少しも心が痛まないというわけではない。だが、夏南の不安を煽るようなことをしたくない。このまま何の問題もなく過ごして行けるのならば、それに越したことはないのだ。

夏南のことを大切に思えば思うほど、余計な心配は掛けたくないという思いが膨らんでいく。彼女を悲しませたくない――けれど、このままというわけにもいかないのかもしれないという思いに琉司自身も揺れている。

それから数日後、琉司は稲森に身体を支えられるようにして自宅へ強制的に送られることになった。マンションのエレベーターに乗り込み、最上階に着くと同時に、それまで身体を支えていた稲森に言った。

「稲森。もう大丈夫だから離せ。おまえはこのまま帰っていい……」

「でも、琉司さま！」

「大丈夫だ。たかが眩暈《めまい》だ。もう治まっているし心配ない」

稲森の手を振り払い、そのまま帰るよう再び指示したのは、こんなところを夏南に見られて余計な心配を掛けたくないという思いからだった。

仕事が忙しかったところへ夏南の発情期も重なり、寝不足気味だったのかもしれない。夕方出先で眩暈に襲われ、そのまま稲森によって自宅に送り届けられたのだ。

部屋の前に立ち、姿勢を正す。少し緩めていたネクタイを締め直し、何事もなかったように玄関のドアを開けて「ただいま」と声を掛けると、夏南が玄関先で琉司を出迎えた。

「おかえりなさい。今日は早いんですね」

「ああ、仕事が早めに片付いてね」

普段と変わらないように笑い返すと、夏南が琉司の顔を覗き込んで何かに気付いたように眉を寄せた。

「琉司さん……体調悪いんですか？　顔色が――」

「何言ってるんだ。気のせい……」

そう誤魔化して夏南の横をすり抜けようとしたが「待ってください」と両手を広げた夏南にそれを阻まれた。

「顔、ちゃんと見せてください」

夏南が手を伸ばして琉司の唇に指で触れ、何かを確かめたあと、今度は琉司の手を両手で包みこんで琉司を見据えた。

「嘘《うそ》です。琉司さん、唇が少し青い——それに指先もすごく冷たい。少し横になったほうがいいです」

そう言った夏南が琉司の背中を支えるようにしてリビングまで行くと、そのまま琉司をソファに横たえた。静かではあるが有無を言わせない夏南の迫力に、琉司は黙ってそれに従った。

「どうして嘘なんてつくんですか。体調が悪いならちゃんとそう言ってください」

「……いや。本当に大したことはないんだ」

「大したことないって——そんな真っ青な顔して何言ってるんですか。琉司さんの顔色は毎日見てます。違いくらい分かります」

そう言った夏南が心配そうに琉司の手を取り、その傍らに座った。

「今日は……どうされたんですか？」

夏南の鋭い眼差しに、これ以上嘘をつくのは限界があると思い、琉司は渋々口を開いた。

「外で軽い眩暈を起こしてね。——また疲れが溜《た》まっただけだと思うんだが、夏南に余計な心配を掛けたくなくて何でもないふりをした。悪かった」

「本当に、疲れだけが原因ですか？　琉司さんは私に何か隠していませんか？」

そう静かに訊ねた夏南が琉司を見つめ、琉司は夏南のその寂し気な視線に一瞬返す言葉を失ってしまった。

「以前、琉司さんが倒れて入院したことがあったでしょう？　そのときお義母さんが仰ってたことが、ずっと気になってて――」

「母が……きみに何か言ったのか？」

「いえ。ただその時に……琉司さんから何も聞いていないのかって言われて」

母がそう言ったのは、きっと琉司が婚約者である夏南に真実を話していないことに気付いたからだろう。

「もしかしたら琉司さんは私に何か大事なことを隠しているんじゃないかって――。琉司さん、私に隠れて毎食後にお薬を飲んでいるでしょう？」

夏南に言われて琉司ははっとした。上手く隠しているつもりでいたが、夏南は気付いていたのだ。

「何か重い病気でも抱えているんじゃないかって。考え始めたら怖くなって――でもそれを聞いていいのかどうかも分からなくて。そのうち琉司さんのほうから話してくれるんじゃないかって待ってみたけど、不安ばかりが強くなって――」

だからなのか。夏南が自分の体調を酷く気にするようになり、時折何か言いたげな、不安な顔を見せていたのは。

「私には、話せないことですか？　私は、そんなに信用できませんか？　琉司さんが傍にいて欲しいって言ってくれて嬉しかった。このままずっと傍にいていいんだって思えて嬉しかった。なのに、大事なことは教えて貰《もら》えないんですか？」

そう言った夏南が、はっと我に返ったように琉司を見つめた。

「ごめんなさい……私、またこんな責めるみたいに」

夏南が肩を落とし、小さく息を吐いた。

「一度ちゃんと病院で診てもらった方がいいと思うんです。この間倒れたばかりでまたこんな――私、琉司さんの身体が心配です」

確かに前回の事も含め、過労だけが原因ではないのかもしれない。

このまま夏南に何も話さないわけにもいかない。そう考えた琉司は夏南の手をそっと握り返した。

いずれ言わなくてはならないのならば、これを機に夏南にもすべてを知っておいてもらうほうがいいのかもしれない。この先自分の身に何か起こっても、彼女が事実を知っていたのとそうでないのでは、心構えも違ってくる。

「そうだな。一度ちゃんと診てもらおう。夏南は、僕の全てを知る覚悟はある？」

そう訊ねると、夏南が真っ直ぐな強い視線で琉司を見つめ、口を引き結んで頷《うなず》いた。

＊　＊　＊

琉司が夏南を連れて隣町の柏《かしわ》記念病院に向かったのはそれから一週間後のことだった。

柏記念病院は、母である頼子の実の父が院長を務める総合病院だ。幼い頃から数カ月に一度の頻度で訪れている通い慣れた病院。

琉司の主治医は頼子の実の弟——つまり琉司の叔父にあたり、この病院の循環器内科部長をしている。

叔父の元でいくつかの検査を受けた結果、ここ最近の不調はやはり過労が原因だという診断を受けた。事前に自分の病状の詳細を婚約者である夏南と共に聞きたいと申し出ていたこともあり、診察時間外に改めて時間を取って貰えることになった琉司は夏南と一度院外に出たあと再び指定された時間前に戻って来た。

「少し早かったか……」

車を降り入口付近の時計に目をやった琉司は小声で呟《つぶや》いた。

叔父の満《みつる》との約束の時間は午後二時であったが、約束の時間より三十分ほど早く病院に到着してしまった。

「そうですね。どこかで少し時間を潰しましょうか？　カフェテリアなんかもあるみたいですけど」

「ああ、いや……叔父の部屋を知っている。少し早いが行ってみよう」

そう言って琉司は夏南を促した。

外来の時間を外れているため、ロビーや待合室には午後の診察に早めに訪れた患者がちらほら見受けられる程度だ。

琉司は廊下の端にある扉から外に出ると、中庭を通り、別棟の建物へと進んで行った。

「あの……琉司さん、こっちの建物は？」

「奥が医師の控室になってるんだ。何度か来たことがある」

琉司の言葉に夏南が珍しそうに辺りを見渡していたが、琉司が廊下を先に進むとそのあとを追って来た。

確か、あの角を曲がった辺りが叔父の部屋だった気が……。

以前来た記憶を頼りにそこへ向かうと、部屋の前には確かに肩書とともに叔父の名が記されていた。部屋の中の様子を窺《うかが》うように耳を傾けると、中から人の話し声が聞こえた。

「どなたかいらっしゃるみたいですね」

話し声に気付いた夏南が小声で琉司に言った。

「ああ。そうみたいだな。仕方ない、戻ろうか」

もともと予定の時間より早く着いたのはこちらであるし、待つように言われていた外来のほうに引き返すと、部屋から人が出てくる気配がして立ち止まった。

「いいわね。琉司さんには上手く誤魔化しておいて」

ふいに聞こえた声が、聞き覚えのある頼子のものだと気付いて琉司は後ろを振り返った。

――誤魔化す？

頼子の言葉にただならぬものを察した琉司は、何か言おうとした夏南に「しっ」と指で合図をし、角に姿を隠したままそちらを覗き見た。

「姉さん。もう限界だよ。琉司くんは頭がいい。ここまで誤魔化せたのは奇跡みたいなもんだ。だいたい、正道さんは琉司くんに跡を継がせたいんだろう？　大々的な婚約披露をしたばかりじゃないか。このまま続けたって、今更何が変わるというわけじゃないだろう」

叔父の言葉を聞きながら、琉司は思考を巡らせた。

二人は一体、何の話をしているんだ――？

不穏な会話に気付いた夏南が、隣で息をひそめている。

「そりゃ、姉さんの気持ちも分からなくはないよ。高城家に嫁いですぐに正道さんの子供がいることが分かって……挙句その子を高城家の子として迎えるなんてこと、姉さんにしたら屈辱的だっただろうよ」

「当たり前でしょう……。それだけじゃないわ！　駆が生まれてからも彼は琉司さんばかりを……！　駆が高城の正当な跡継ぎなのに」

「姉さんが自分の血を分けた駆くんに高城の跡を継がせたいって気持ちも分かるよ。だけど、こんなこと続けて何になるんだ？　琉司くんに疾患があるなんて長い間信じ込ませて……彼に罪があるわけじゃないだろう？」

叔父の言葉に、琉司は衝撃を受けた。

――疾患があると思い込ませてた？

「実際、琉司くんの能力を買っているのは正道さんだし、琉司くん自身もアルファであるし、とても優秀なんだろう？　おっとりしていて自由を好む駆くんより、琉司くんのほうが後継者に向いているのは姉さんも分かっているんじゃないのかい？」

「それでも！　納得いくわけないじゃない。高城家を継ぐのは駆のほうよ」

頼子が感情を昂らせたのを見て、満がそれを制すように周りを窺ってから声を落として言葉を続けた。

「琉司くんに渡している薬だって、調べればすぐに成分は分かるんだよ。琉司くんはすでに何かに気付き始めているんだろう？　でなければ、急に詳しい話を聞きたいだなんて言い出すはずが――」

――僕の飲んでいる薬？　琉司は二人の会話を聞きながら眉根を寄せた。

「何言ってるのよ！　もう後戻りはできないの」

「だから、もう無理があるって言ってるだろう！　幼い頃ならそれでなんとかなったかもしれない、それこそ洗脳のようなものさ。姉さんだってそうやって彼を育ててきたんだろう？」

二人の会話を聞いていた夏南が不安そうに琉司の背中に触れた。

目の前が暗くなるような衝撃的な会話が続く中、夏南の手の温もりだけが琉司の平静をどうにか保っていた。

「琉司くんはもう大人だ。結婚だって決まっている。彼にしては珍しく弾んだ声で相手を紹介したいと言われたよ。愛する人のために強く生きることを望んで、真実を知りたがっている。もし、僕が誤魔化したところで彼は少しでも不審に思うことがあれば徹底的に調べると思うよ。結果、すべてバレる――もう潮時なんだよ」

叔父と母の会話を聞く限り、二人が共謀して自分に何かを隠していたのが分かる。

母が、琉司に自分の身体に疾患があるよう思い込ませていた。それに叔父が協力していたということか――？

琉司はすっと姿勢を正して、身を隠していた廊下の角から、彼らの前にゆっくりと歩み寄った。

「今の話、どういうことですか」

琉司の声にはっとした二人がこちらを凝視した。

「琉司さん、どうして……！」

先に声を発したのは頼子だ。

「このあと叔父さんと会う予定だったので。――まぁ、それはあなたもご存知のようでしたが」

おおよその内容は二人の会話を聞いていて理解した。

「盗み聞きするつもりはなかったんですが、偶然聞こえてしまった内容が内容だけに、どうにも気になってしまったので」

琉司が平静を装いながら答えると、頼子が琉司とその背後にいる夏南に訊ねた。

「いつから――？　どこから聞いていたの」

「ほぼ初めからですよ。あなたと叔父さんが外に出て来てからの会話は全て聞きました。どういうことなのか、詳しい説明が聞きたいです」

二人に詰め寄るように迫った琉司に、すべてを諦めたように叔父の方が口を開いた。

「僕は頼まれていただけなんだよ。姉さんに」

「ちょっと！」

尚も何かを隠そうと抵抗を見せる頼子と、真実を話そうとしている叔父。琉司は叔父に向かって質問をぶつけた。

「何を頼まれていたんですか？　僕の身体は一体――？　疾患があると信じ込ませていたとはどういうことなんですか」

矢継ぎ早に質問を浴びせると、叔父がその視線を頼子に移した。

「姉さん……もう限界だろう？　これ以上は……」

その言葉に頼子のほうも何か考えるように唇を嚙《か》んでいたが、やがて諦めたように息を吐いた。

「――そうよ。全部嘘よ、あなたの病気のことは！」

「僕の心臓に疾患があるというのが嘘――ということですか？」

琉司が訊ねると頼子が大きく息を吐いて頷き、代わりに叔父が答えた。

「いや。全てが嘘だってわけじゃないんだよ。先天性の心疾患があったのは事実みたいなんだ。きみの本当の母親が残した母子手帳の中にそういった記録があってね。ごく軽いものだったから手術も必要なく成長とともに治ってしまったようだが」

「――では、僕がこれまで飲み続けていた薬は？　母さんは、何のためにそんな嘘を」

琉司は健康である自分がなぜ必要のない薬を飲まされ、持病があるかのように思いこまされたのか。なぜそんな仕打ちを受けなければならなかったのかそれが知りたかった。

「薬は心配ないよ。それらしく何種類かあったが、ビタミン剤のような健康補助成分のものと――あとは抵抗薬だ」

「抵抗薬？」

「そうだ。いわゆるオメガフェロモンへのね」

満の言葉に琉司はあることに思い当たった。

オメガフェロモンの影響を受けやすいアルファによる性犯罪の増加により、それを事前に防ぐためアルファの発情を抑制する薬の開発がここ近年盛んに行われるようになり、各医療機関で治験が行われていると聞いたことがある。

「うちの病院でも、随分前から治験者を募っていたんだが――なにせアルファの人間自体が希少だからね」

確かに、アルファは全人口のおよそ二割程度しか存在しない。

「琉司くんが飲んでいたのは、その治験薬だよ。――自覚があるだろう？　きみがオメガフェロモンの影響を受けない特異なアルファだったのはその薬のせいだ」

「ちょっと待ってください。一体どういう……」

琉司が訊ねると、今度は頼子が口を開いた。

「あなたに自分の身体が健康体でないと信じ込ませたかったのよ。まだ幼かったあなたに将来的に病気の自分が高城家の跡取りに相応しくないと思わせる為にね。——そんな時、ちょうど抵抗薬の治験の話を聞いたのよ。あなたはアルファだし、思春期になって誰彼構わず発情して、何かトラブルにでも巻き込まれたら——と思うと気が気じゃなくてね」

そう言った頼子がそこで深く息をついた。

「高城家の人間に欲目で近づいてくる人間はたくさんいるわ。あなたを陥れようとする人間もね。薬を飲ませていたのは、病気だと思い込ませるためと、あなたを陥れようとするくだらない人間からあなたを守るためでもあった。もちろん、高城家のためによ」

不安そうに琉司を見つめる夏南に、大丈夫だと伝わるよう視線を返した。

正直、頼子のしてきたことに対する衝撃は大きかった。

これまで自分を大事に育て支えてくれていたはずの母が、裏でそんな画策をしていたなど琉司にとって考えも及ばなかったことだ。

これっぽっちも気付いていなかった。自分にとって頼子は、血の繋がりはなくとも立派な〝母〟だったのだ。

「どうして、そんな回りくどい——。僕が跡取りとなることを快く思っていなかったのなら、そう言ってくれれば……」

「言えると思う!? あなたの良き母親を演じていた私が、そんな事!」

「僕だって……自分の立場はわきまえて生きて来たつもりだ。父にもあなたにもここまで大事に育ててもらった恩がある。二人のどちらかが望まないことを、僕だって望んだりしない」

頼子の立場を思えば、気持ちも理解できる。

彼女にしてみれば、自分と血の繋がりのある息子をグループの後継者にと願うのは当然のことだ。

「あなたが、駆を後継者にしたいならそうしたらいい。僕が降りればいいだけの話だろう」

琉司の言葉に頼子が顔を上げた。

「父さんが僕を後継者に望んでいるのが分かったから、その意向を汲《く》んだだけだ。駆が跡を継いでくれるというのなら、僕はそれで構わないんだよ……母さん」

高城家に引き取られたときのことは幼いながらも記憶に残っている。

自分がよそ者であることは理解していたし、駆が生まれてからはいつかこの家を離れる日が来るのではということを琉司は常に頭の片隅に置いて生きてきたのだ。

「母さんが望むなら、高城の家から出たって構わない。それくらいの覚悟はしてたよ」

「そ、そこまでは……! 私だってあなたが憎いわけじゃないのよ」

「分かってるよ」

頼子が本当に自分を憎んでいるのなら、もっと早い段階で琉司を高城家から追いやっていたはずだ。

「母さんのしてきたことは、今後一切問わない。結果、僕は健康だったわけだし、治験薬によって何か副作用的な症状が出てるってことも――」

「もちろん、ない！　琉司くんは健康体だよ。それはこれまできみの身体を診て来た僕が保証する」

叔父が力強く答えた。

「それなら、何も問題はないよ」

叔父の言葉に琉司は心から安堵《あんど》していた。

自分が健康体であることが分かったいま、いつ現れるかと気が気ではなかった病の影に怯《おび》えることがなく生きていける。

愛する人を悲しませたり、諦めたりする必要もなくなるということだ。

そんな考えに行きついて喜びを噛み締めていた琉司は、あることを思い出して叔父に訊ねた。

「そういえば、ひとつ疑問があるんですが」

「なんだい？」

「僕がオメガフェロモンに反応しないのは、僕が長年服用していた抵抗薬のせいだと言っていましたよね？」

「ああ、その通りだよ。実際、きみはフェロモンの影響を受けなかっただろう？」

確かに、影響を受けたことがなかった。夏南に出会うまでは一度も。

「――実をいうと、彼女のフェロモンにだけは影響を受けたんです」

そう言って琉司はその視線を夏南に移した。

「これまで誰のフェロモンの影響も受けたことがなかったのに、なぜか彼女にだけ。それはどういうことなんですか」

琉司の言葉に、叔父が一瞬驚いた顔をしたが、すぐに表情を崩し、琉司の肩にそっと手を置いて傍にいる夏南にも聞こえないよう小声で答えた。

「いわゆる〝運命の番〟だったんだよ。きみにとって彼女が」

「え？」

「聞いたことないかい？」

叔父に言われて琉司はあることを思い出した。

アルファとオメガが発情の有無に関わらず、魂レベルで互いに惹《ひ》かれ合ってしまうというある意味都市伝説のような噂《うわさ》。その相手と出会うと一目見た瞬間に感じ合い、身体も心も惹かれ合い必ず相思相愛になるという――。

確かに琉司は初めて夏南に会ったとき、どうしてか彼女を放っておくことができなかった。なぜか分からないが、助けてやらなければという気持ちになった。

あれは出会ったあの瞬間から、運命的に彼女に惹かれていたということか――？

古い噂を真に受けるわけではないが、そう考えれば夏南に会ってからの何もかもに説明がつくような気がしてくる。

「――運命、か。なるほどね」

案外悪くないその響きに、自然と頬が緩む。

彼女とは出会うべくして出会った。惹かれるべくして惹かれた。まるで赤い糸で結ばれていたように――。

傍らにいた夏南の背に手を添え、その場から立ち去ろうと歩き出した琉司を頼子が後ろから呼び止めた。

「待って、琉司さん！　このこと、駆には……」

「もちろん言う気はないよ。駆に後継を譲る件については、また後日。――約束は、必ず守る」

そう頼子に答えると、琉司は再び歩き出した。来た時と同じように中庭を歩いていると、何か言おうとしたのか一瞬こちらを見た夏南が目を伏せ、そのままそこから動かなくなった。

「夏南？」

声を掛け彼女の顔を覗き込むと、夏南の目に溢《あふ》れんばかりの涙が溜まっていて、その涙が琉司と目が合った瞬間ポロポロと零れ落ちた。

「どうした？」

「……かった、です」

「え？」

「琉司さんが……重い病気じゃなくて……。全部、嘘でよか……た」

余程不安に思っていたのだろう。堰《せき》を切ったように嗚咽《おえつ》が漏れ、涙が頬を濡らしていく。

「……うん」

病気の話が嘘であったことにほっとしているのは自分も同じだが、自分の命がどうこうということよりも、知った事実によって夏南を悲しませることを避けられた喜びの方が大きかったことに琉司自身も驚いていた。

「夏南――そんなに泣くな。嘘だったんだ、喜んでよ」

そう言って夏南の前に立ち、彼女の頬を両手で包み込んだ。尚も溢れて止まらない涙を何度も何度も指で拭い、彼女の額に唇で触れる。

「よ、か……った」

目の前で自分を思いこうして涙を流している彼女のことが――堪らなく愛おしい。

「ああ。本当に嘘でよかったよ……僕は、これからも夏南と生きていける」

琉司の言葉に、夏南の嗚咽が益々大きくなる。

ぎゅっと夏南を腕に閉じ込めると、彼女の手が琉司の背中をぎゅっと摑んだ。細く頼りない彼女の指先が小刻みに震えているることさえ愛おしい。

「夏南、もう泣くな。僕はずっと傍にいるから――夏南の傍にずっと」

琉司が言うと、夏南がそれに応えるように琉司を強く抱きしめた。

この温もりを絶対に手離したくない――琉司はそんな思いを込めて夏南の身体をさらに強く抱きしめ返した。

＊　　＊　　＊

「――ちょっと待ってよ！　何言ってんの兄さん⁉」

琉司が家族を集めたのは、正道のスケジュールに多少余裕のできた翌週末の夜だった。

琉司が行きつけにしている和風創作料理の店の個室で、食後のデザートが運ばれてきていた。

普段、家族が集められるのは正道が声を発してのことで、琉司が皆を集めることなどこれまで一度もなかった。

「何かいい知らせか？」と上機嫌で店にやって来た正道と、琉司が皆を呼び出した理由を知っている頼子とではその表情は対照的で、あとからやって来た駆に関しては「兄さんが皆を集めるなんて珍しいね？　何の用？」などと、まるで他人事のようだった。

「――だから、高城グループの後継者には僕ではなく、駆がなるべきだと」

その言葉に、駆は鳩《はと》が豆鉄砲を食ったような表情になり、正道の眉間にも深い皺《しわ》が寄ったのを琉司はもちろん見逃さなかった。

先日の病院での出来事のあと、すぐに行動を起こしたのは、頼子に自分が本当にグループの後継者の座を駆に譲る意思があることをいち早く示したかったからだ。

もちろん夏南も同席させているが、琉司の隣にただ寄り添うように静かに佇《たたず》んでいる。

「意味分かんないんだけど！　父さんも何か言ってよ」

「いきなりどういうつもりだ？」

二人の問いに、琉司は静かに口を開いた。

「ずっと考えていたことなんだ。世間的にも父さんと母さんの実の子である駆のほうが、グループを継ぐのに相応しいと思うんだ」

琉司の言葉に、正道が大きく息を吐いた。

「――何を今更。世間の声など気にしているのか？　確かに一部そういう声が上がるのは致し方ない。おまえが、私が他所に作った女の子供なのは事実だ。だが、世間に何を言われようとおまえを誇れるよう教育してきたつもりだが？」

正道の言葉に、駆もそうだと言わんばかりに大きく頷いた。

「俺、嫌だよ。父さんの跡継ぐなんて御免だ」

まるで子供のように頬を膨らませた駆に、頼子が目を丸くした。

「何言ってるの、駆！　よく考えてちょうだい。正統な後継者はあなたなのよ？」

「だから、嫌だって言ってるじゃん。そんなの興味ないよ」

「駆！」

二人のやり取りを見ていた琉司は、駆を後継者にしたいと考えているのはやはり母の頼子だけで、駆本人には全くその気がないということに気付いた。

「何で急にそんなこと言い出すのさ？　いままでそんなこと一度だって――！　とにかく俺は嫌だからね！」

頑なに拒絶する駆に琉司も少し困惑し、そんな琉司を夏南が心配そうに見つめている。駆がグループの後継者という立場に興味がないことは琉司も気付いてはいた。駆自身そういった話をすることもなかったし、自分には関係のない話くらいに思っているように見えた。

だからこそ、駆にその意思がないのなら自分が父の意向に沿うよう努力もしてきた。頼子が望んだところで、駆本人に継ぐ意思がない限り、琉司のこの申し出がすんなり通るとも思えないと、琉司は少し焦りを感じた。

「ていうか、ホント急に何なの？　俺、そういうの全部兄さんがするんだって思ってた。兄さんが父さんの愛人の息子だからって今更何？　そんなの皆知ってるし」

「駆……」

琉司が呼び掛けると、駆がそれに構わず言葉を続けた。

「小さい頃から兄さんが当たり前にいて。母さんが違うって知ってからも『だから何？』くらいにしか思ってなかったよ。小学校に入って、そのこと変にからかわれたりしたこともあったけど――俺にとって兄さんは兄さんだし、この家を継ぐのも兄さんだって普通に思ってたし、今も思ってる！　父さんだってそのつもりのはずだよ。ねぇ、父さん？」

駆が正道に訊ねると、正道が「まぁ……そうだな」と頷きながら言葉を続けた。

「確かに、幼い頃から琉司にはそれに相応しい教育をしてきたのは認めるが――べつに駆が跡を継ぎたいのならそれはそれで構わんと思っている。二人とも私の息子に変わりはないしな」

「あなた――！　じゃあ……」

頼子が正道の言葉に驚いた顔をすると、正道が頼子に「待て」というように手のひらを向けた。

「ただ――いいか？　琉司もよく聞け。私なりに親としておまえたちを見て来た。同じように教育を受けさせ、同じように育てて来たつもりだが、おまえたちにはそれぞれの個性というものがある」

そう言うと正道は琉司と駆を交互に見つめた。

「琉司はもともとアルファ遺伝子を持っている上に、努力家でとても勤勉だ。実際有能で、いまでは私の片腕だ。駆はこの春仕事に就いたばかりで、まだまだ発展途上だが、要領もいいし、発想力が豊かで今後大いに期待もできる。――が、駆はまだやりたいことを摸索《もさく》している段階でもある。そうだろう？」

正道の言葉に、駆が大きく頷いた。

「確かに、兄さんみたいに父さんの会社で働くのも悪くないかなと思うんだ。まだまだできることは少ないけど、仕事楽しいって思えることもあるし。でも、俺、舞台美術の夢も諦めきれてないんだよね」

　琉司も随分前に駆からその話を聞いたことがある。

　大学時代に入っていた演劇サークルで美術製作に従事し、いまも時間を見つけては小さな劇団やボランティアで活動している友人たちの舞台美術の手伝いをしているという。

「駆、あなたまだそんな――！」

「母さんには内緒にしてたけど、今でもたまに友達の舞台の手伝いしてるんだ。それは父さんも知ってる」

　そのことを駆が頼子に内緒にしていたことは琉司もある程度想定済みだったが、まさか正道が知っているとは思わなかった。

「俺はさ、兄さんみたいに有能じゃないし、どっちかっていうと人を引っ張ってくって感じより、下から支えるって感じのほうが性に合うっていうか。――まだ若いしさ、興味があることは続けたいし、できるならもっといろんな経験してみたいって思ってるんだ。兄さんは元々人の上に立つカリスマ性とかもあるしさ、グループの次期社長は兄さんのほうが断然向いていると思うよ」

　ずっと黙ったまま話を聞いていた琉司はようやく静かに口を開いた。

「駆は――本当にそれでいいのか？」

　琉司にとって、駆はかわいい弟だ。駆が本当に望んでいることを叶《かな》えてやりたいという気持ちが何よりも大きい。

「いいもなにも。俺がそうしたいんだよ。社長の座なんてこれっぽっちも興味ない」

あっけらかんと言い放った駆に、琉司も正道も顔を見合わせて苦笑いをするしかなかった。大きな企業の跡取りを巡って兄弟間で骨肉の争いが繰り広げられるのはよく聞く話だが、こうあっさりと投げ出されるとさすがに拍子抜けしてしまう。

「ホント、マジ、絶対嫌だからね‼　もし、その話続けるようなら家出て会社も今すぐ辞めるから！」

駆の必死な訴えに、正道がさも可笑しそうに吹き出した。

「まぁ、駆がこれだけ拒否してるんだ。今の話、なかったことでいいな？　琉司」

「あ……はい」

「――ってことで、これ以上変なこと言い出さないでね」

そう言った駆が、意味ありげに琉司に、それから頼子に視線を送った。

駆は多分気付いていたのだ。琉司が急にこんなことを言い出した原因が頼子にあるということに。

頼子のほうも駆の言葉に渋々ではあったが、黙ってうなずいた。ここまできっぱりと拒否されては、どんな画策も意味をなさないことにようやく気付いたのだろう。

「この話、おしまい！　てか、どうしてくれんのさー！　デザートのアイス溶けちゃってんじゃん」

駆の言葉にその場の空気が和んだ。

皆が笑うと、夏南もつられるように笑みをこぼした。そんな彼女の姿に琉司は心から安堵した。

9

先に帰ると言った正道たちを見送った後、夏南は車を取りに店を出た琉司を駆と共に店の前で待つことになった。

駆はこのあと友人の劇団に顔を出すことになっているらしく、琉司が離れた駐車場まで車を取りに行く間、夏南を一人にしないよう一緒に待ってくれている。

週末の夜ということもあり、店の前の通りをまだ多くの車が行き交っている。

「まったく……兄さんらしいよね。母さんに言われたからって俺に何でもかんでも譲ろうとするとこ」

駆のその言葉に、夏南はこの一連の話に母の頼子が関係していることに彼が気付いていたことを悟った。

「駆さんは……あの、気付いてたの？　お義母さまがその……」

夏南が訊《たず》ねると、すぐにその意味を察したように頷《うなず》いた。

「ああ、うん。兄さんに何か吹き込んだんだろうなーってのはすぐね。父さんが兄さんに跡継がせたいのは当然知ってたし、兄さん見てのとおり優秀だしさ？　僕もそれでいいって思ってたからね。でも、母さんはさ——俺は母親の気持ちは分からないけど、母さんみたいな複雑な立場だったら僕のほうに肩入れしちゃう気持ちはなんとなく理解できないこともないかなって」

　駆の言葉に夏南も小さく頷いた。

　優しく想像力の豊かな駆のことだ。その人間の立場に合わせた気持ちを彼なりに汲《く》み取ることができるのだろうと思う。

「母の愛が、ちょっと暴走した感じ？」

　そう茶化すように笑った駆に、夏南も微笑み返した。

「駆さんは、みんなに愛されてますね。琉司さんにも……」

「ていうか、家族の中で兄さんが一番酷いから！　小さい頃から俺のこと甘やかしすぎなんだよ」

　駆があまりに力強く訴えるので、夏南は思わず吹き出してしまった。

「子供の頃からずっとだよ。俺が生まれた時には兄さんすでに十歳とかだろ？　おむつとか替えてくれたこともあったらしいし、小さい父さんだよね、ある意味」

　夏南はそんな幼い琉司を頭の中で想像した。優しい彼があれこれ世話を焼いていた姿が目に浮かぶ。

「兄さんが気に入ってた持ち物も俺が欲しいって言うとなんでも譲ってくれて。高校選ぶときも、母さんが反対したとこ兄さんが説得してくれたり、大学で演劇やりたいって言ったときも応援してくれたりさー」

「いいお兄さんなんだね、駆さんにとって」

「過保護過ぎるんだよ。いまだにそれが抜けないんだよね、俺だってもう大人なのにさ」

そんなふうに話す駆を見て、琉司の気持ちが少し分かる気がした。感情が豊かで人を和ませる駆は、夏南からみてもやはり可愛いと思える存在だ。

「夏南ちゃんも、兄さんに大事にして貰《もら》えてる？」

そう駆に訊《き》かれて夏南が「はい、たぶん」と曖昧に答えてしまったのは、照れくささもあったからだ。

お互いの気持ちを確かめ合ったあと、元々夏南に甘かった彼の態度に拍車が掛かっている気がする。

「たぶんって何だよー？　ていうか、兄さんが俺に譲ってくれないものってあんのかな？」

「えー？」

駆の話を聞いている限り思いつくものが何ひとつない。

今抱えている仕事でも、住んでいる部屋でもなんでも、駆が欲しいと言えば彼なら二つ返事で譲ってしまいそうな気がする。

いい意味でも、悪い意味でも執着のない人だと思う。

元々いろんなものに恵まれているというのもあるが、彼にどうしても譲れないものなどあるのかと考えてみても、思いつくものがないのだ。

駆とそんなたわいもない話をしているうちに、琉司の乗った黒いセダンが店の前に停まり、彼が車を降りてこちらに向かって軽く手を上げた。

「あ。一個だけ、思いついたかも！」

そう言うと駆が悪戯な表情を夏南に向け「ちょっと、ごめんね」と言ってわざとらしく夏南に抱きついた。

「ちょ、駆さん⁉」

「いいからいいから。ちょっとだけじっとしてて」

何を思ったのか、急にそんな行動に出た駆に夏南が戸惑っていると、車を降りた琉司が慌てた様子でこちらにやって来て夏南と駆を強引に引き剝がした。

「何やってんだ、駆。酔いがまわったのか？」

「あはは、そうかも」

と言いながら再び夏南に触れようとした駆を、琉司がその身体を使って遮った。

「だから何してる」

琉司の声は低く少し不機嫌な響きを持ち、それを見た駆が益々悪戯な表情を浮かべながら言った。

「兄さんはさ、昔から俺に何でも譲ってくれたよね。さっきも俺が欲しくもないもの譲ろうとするし」

「それがなんだ？」

「兄さんは、俺が『欲しい』って言ったら何でも譲ってくれんの？」

駆の言葉に、琉司が訝《いぶか》し気な顔をする。

「何を言ってるんだ？　さっきから」

「じゃあ、兄さん。……もしだよ？　俺が夏南ちゃんのこと欲しいって言ったら——」

駆が何を言おうとしてるのか、何を意図しているのかということが、やっと夏南にも分かった。『もし』という仮定の話ではあるが、琉司が駆にどんなふうに答えるのか想像すると夏南は少し不安でもあった。

もし、『いいよ』なんて言われてしまったら？

そんな夏南の不安をよそに、駆がそれを最後まで言い終わるのを待たずに叫んだ。

「ダメだ！　それだけは！」

即座に答えた琉司の低い声といい、空気がピンと張り詰めるような、その迫力が凄かった。

駆が驚いていたのはもちろん、夏南もその勢いに驚いた。夏南の前に琉司が立ちはだかっているため、背中越しにしかその雰囲気は分からなかったが、摑《つか》まれた腕に力がこもっている。

痛いくらいだった。

あっけにとられたように琉司の顔を見ていた駆が、ふいに笑い出した。

「ははっ！　兄さんが何かに執着するの初めて見た……」

そう言いながら、まるで物珍しいものを見るようにまじまじと琉司を見つめる。

「どうしても？　俺、夏南ちゃんのことかなり気に入ってるんだけど」

「ダメだと言ってるだろう！　夏南は僕の婚約者だ。だいたい……」

そのあと何か言おうとした琉司を遮るように、今度は駆が言葉を続けた。

「嘘《うそ》だよ！　冗談に決まってるじゃん！　なにムキになってんの？」

駆は笑いながら夏南にウインクした。

「あったね。唯一譲ってくれないもの」

駆の行動の意味を理解したものの、どう反応していいかわからず夏南が視線を泳がせると、琉司と目が合って今更ながら心臓が跳ねた。

愛おしそうに自分を見つめるその視線に、胸がギュッとなる。

「大事にされてるんだよ、夏南ちゃんも。何でも俺に譲ってくれた兄さんが、譲れないって言うんだからさ」

そう言ってポンと夏南の肩を叩《たた》いた駆に、琉司が「だから気安く触るな」と釘を刺した。

「ええー!?　いいだろ、これくらいのスキンシップ。兄さんのお嫁さんになるってことは俺にとっても姉さんになるんだからさ」

「だからと言ってむやみに触らなくてもいいだろう」

「え。なにそれ、嫉妬？　いい歳して大人げないなぁ」

「煩い」

夏南は二人のやり取りを見て思わずつられるように笑ってしまった。

こうしてみるとやはり兄弟だ。普段大人びている琉司の少し慌てたような子供っぽい表情はいまの駆とよく似ている。

歳が離れていても仲睦まじい二人の様子を見て微笑ましい気持ちになるのと同時に、琉司が自分を譲れないと言ってくれたことが夏南にとっては何より嬉《うれ》しかった。

自然と緩む頬を慌てて隠してみたが、その心の内は隠し切れないのだった。


駆を送り届けたあとマンションに戻って来た夏南は、車を降りてからずっと琉司に繋《つな》がれたままの手をどうしていいか分からず戸惑っていた。

ただ琉司に「僕のものだ」と言われたその言葉を何度も何度も思い出しては緩んだ頬をどうにかしたくて唇を引き結んでいる。

「夏南？　どうかしたのか？」

「え、あ……なんでもないです」

「いろいろ気疲れさせたか」

「そんなことないです！」

そうしているうちにエレベーターは最上階に着き、琉司に促されるまま部屋に入った。

玄関のドアを閉めるなり琉司が夏南の身体に腕をまわし、肩にその頭を預けた。

「……琉司さん？」

「やっと二人きりだ。さすがに外ではまずいかと思って我慢してたが、早くこうしたかった」

そう言った琉司の重みを夏南はそっと受け止めた。

いつだって大人で、夏南をドキドキさせるばかりの彼のこんな甘えたような姿を見るのは初めてだ。

「夏南は簡単に人に触れられ過ぎるな」

「や……でも。相手は駆さん、ですよ?」

「分かってるけど、いろいろ実感した。弟の駆にさえ、きみが触れられることを僕は許せないんだって」

琉司が駆に嫉妬しているのかと思うと、こんなふうになっている彼のことがますます愛おしく思えて来る。

「どうしよう……なんだかにやけちゃいます」

夏南が言うと琉司がゆっくりと頭を上げ、夏南を見つめた。

「なにそれ」と少しむくれたような声を出した彼に夏南は「嬉しいからですよ」と笑い返した。

「嬉しいです。琉司さんが、そんなふうに思ってくれることが。――さっきも、駆さんに『僕のものだ』って言ってくれたでしょう?」

「――あれは」

琉司がその時の事を思い出したように照れくさそうに額に手を当てた。

「少し子供っぽかったと反省してる」

「反省しないでください。私は嬉しかったです」

実感する。

目の前にいる、夏南の瞳の中をその優しい笑みでいっぱいにするこの人が、好きだということを。

「嬉しくて――。でも、その気持ちをどんなふうに琉司さんに伝えたらいいか……できるなら私の心の中切り開いて全部見せてあげたいくらいです」

胸の中にどんどん湧き上がって止まらないこの気持ちのすべてを、表す言葉なんてどうやっても見つけられる気がしない。

夏南の言葉に、琉司が少し身を乗りだして意味ありげに微笑んだ。

「それじゃ、見せてもらおうか」

「え？」

その瞬間、夏南の身体がふわりと浮いたかと思うと力強い琉司の腕に抱え上げられ、そのまま寝室へと運び込まれた。ベッドの上にそっと夏南を降ろした琉司が、向かい合うようにその目の前に座る。

そのまま触れられるのかと思ったが、琉司は夏南に唇が触れるだけの軽いキスをしただけで身体を離してしまった。

「琉司、さん……？」

「夏南が言ったんだろう？　心の中、全部見せてよ。僕に伝わるように、夏南がしたいこととして欲しいこと、分かるように全部」

「あ……の？」

「いまのキスだけで夏南は満足？　僕は全然満足できない。もっと夏南に触れたい」

「……私も、琉司さんに触れたい。琉司さんに触れてもらいたいです」

彼が何を求めているのか、夏南に何をさせたいのか。はっきりとした正解が分かったわけではないけれど、彼に気持ちが伝わるように行動で示したらいい——それだけは確かだと思った。

「私から……触れてもいいですか？」

「もちろん」

夏南がそっと腕を伸ばしシャツの上から彼の胸に手を当てると、彼の鼓動が手のひらに伝わってきた。落ち着いているかのように思っていた彼の鼓動は意外にも速くそのリズムを刻んでいる。

「……ドキドキしてる」

「そうだ。夏南に触れるとき、僕はいつもこんなだよ」

琉司が自分に触れるときにどんな気持ちでいるのかなんて考えてみたこともなかった。

いつも自分だけがドキドキしていると思っていたが、琉司も自分と同じようにドキドキしてくれていたのかと思うと胸がギュッとなる。

ベッドの上に座ったまま前にほんの少し距離を詰め、琉司を見つめた。

慣れない行為に震える指で彼のシャツのボタンを一つ一つ外していくと、鍛えられた逞《たくま》しい身体が覗《のぞ》く。ボタンを全て外してシャツの下からそっと直に琉司の両肩に手のひらを置くと、彼が一瞬ピクと動き肩に掛かったままだったシャツがふわりとベッドの上に落ちた。

こんなふうに自分から琉司に触れるのは初めてだ。

そのまま夏南は手のひらで彼の肩、鎖骨を撫《な》で、心臓の位置でその手を止めた。

さっき触れたときより更に速くなっている鼓動に驚いて夏南が顔を上げると、ちょうど目の前に琉司の顔があった。

触れそうで触れない微妙な距離間のなか、吸い寄せられるように唇を寄せると、少し渇いた彼の唇が夏南を優しく受け止めた。触れては離れ、何度か角度を変えながら唇を重ねたあと、薄く唇を開くと琉司の舌が夏南の口内に押し入って舌ごと攫《さら》って行く。

琉司が夏南の顔を両手で包み込み、親指の先で耳をくすぐる。ぞくっとした感覚に肩をすくめると、両耳を指で塞がれて外の音を遮断され、口内で舌が絡まり合う生々しい音が頭の中に響いた。

頭に直接響く湿った音に脳が興奮を刺激され、まるで水の中にいるような感覚に囚われる。ふいに周りの音がクリアに聞こえて、夏南は意識を現実に引き戻された。

「蕩《とろ》けそうな顔だな。でもこんなキスだけでへばられたら困る」

そう言った琉司が夏南の額に口づけた。

「……ごめんなさ、い」

「今夜はもっともっと夏南の心の内を見せてもらうつもりでいるんだ。僕はこんなキスだけじゃ満足できない」

それは夏南も同じだ。キスで欲情を刺激された身体は、すでに琉司を求めている。

「夏南は？　キスだけで満足？」

琉司の言葉に夏南はふるふると首を振った。

「琉司さんに、触れてほしい……です」

彼の大きくて温かな手に触れられたい。

「うん。僕も触れたい」

そう答えたものの、夏南の反応を窺《うかが》うだけで、彼から夏南に手を伸ばしてくることはなかった。

夏南は覚悟を決め、琉司から視線を逸らしながら自らの首の後ろに手を伸ばした。

襟足が邪魔にならないよう、髪を分け、着ているワンピースのホックの位置を確かめる。

ホックが上手く外れなくてもたついている夏南に、琉司がそっと手を伸ばしそのホックを外すのを手助けした。だが、やはりそれ以上触れることはせずに、夏南をじっと見つめている。

夏南が自分で服を脱ぐのを待っているのだろうことは分かるが、好きな人を目の前に自ら服を脱ぐことがこんなにも恥ずかしいことだとは思わなかった。

少しもたつきながらも夏南が背中のファスナーを降ろすのを琉司は黙って見つめている。食い入るように夏南を見つめるその視線が痛くもあり、どこか気持ち良くもある。

もたつく夏南に再び琉司が手を貸し、ファスナーを下まで降ろした。夏南が肩に掛かったままのワンピースを引き下ろし、肌が露になると同時に琉司が静かに唾を飲んだ。

「綺麗《きれい》だな……」

まじまじと彼に見つめられると恥ずかしさでなんだかいたたまれない気持ちになる。

「そこまでで終わり？　もっと見せてくれないのか」

そう言われて夏南は恥ずかしさに一瞬顔を覆ったが、指の隙間から琉司の様子を窺うと、その先を期待している熱の籠った視線に捕まった。

——意地悪だ。

でも、心の内を見て欲しい。気持ちを伝えたいと思ったのは夏南自身だ。

ブラの肩ひもを落とし、ゆっくりとフロントホックを外す。そのまま両手で胸を包むように覆うと、琉司が夏南の膝の上に落ちたブラを片手で拾い上げた。

「隠すのか？　その手どけてくれなきゃ夏南の綺麗な胸が見えないいな」

「そのまえに……部屋を暗くしてくれませんか」

「夏南の裸を見るのは初めてじゃない」

確かに琉司に裸を見られるのは初めてじゃない。発情セックスは何度も経験があるが、理性が飛んでしまっているときと違ってやはり人並みの羞恥心はある。

「分かってます……でも、こんな明るい部屋じゃやっぱり恥ずかしい」

夏南が小声で言うと、琉司が小さく笑った。

「いいけど、カーテンはこのままだ」

「え?」

この部屋は二十五階建てのマンションの最上階にあり、近隣に同等クラスの高層のビルやマンションはなく、その視界を遮るものがほとんどない。マンションの遙《はる》か下層に広がる夜景が美しいことが売りで、景観を楽しむために窓は大きく作られているが、外からの視線を気にする必要はない。

「月明かり程度の視界は確保させて貰わないと、夏南の恥ずかしがる顔すら見えなくなる」

琉司のこだわるその点に価値があるとは思えないが、ささやかな要望を聞き入れてもらえたことにほっと胸を撫で下ろした。

部屋の電気を消した琉司が戻って来て夏南の前に座った。

「ほら、夏南。その手どけて」

未だ夏南は自分の手のひらで自らの両胸を隠している状態だ。距離があるならともかく、手を伸ばせばすぐに触れられるほどの近い距離にいる彼に、裸を見られていると思うと恥ずかしくて堪らない。

緊張で身体が震え、心臓がドキドキして口から外に飛び出してしまいそうだ。

「ほら。見せて」

言われた通りにおずおずと手のひらをどけると、琉司が目を見開き一呼吸おいてから満足そうに微笑んだ。

「さっきのキスで感じたのか？　もう先が尖《とが》ってる」

琉司が指先で胸の先端にほんの少し触れただけで、夏南の身体がピクリと震えた。一瞬で身体全体に鳥肌が立つ。身体が何かを期待して敏感に反応している証拠だ。

「ねぇ、夏南。胸が僕によく見えるように自分で持ち上げて、こっちに突き出して」

増えていく難易度の高い要求に戸惑いながら、夏南は震える手で自分の胸をそっと持ち上げ、琉司のほうへと突き出した。

緊張でますます身体が震える。彼が悦んでくれるならば、とは思うがやはり恥ずかしさにいたたまれなくなる。

「はは。これはヤバいな……」

そう言った琉司が夏南の腕を引き、そのまま胡坐《あぐら》をかいた自分の膝の上に座らせた。琉司がくびれを確かめるように手のひらで優しく夏南の腰に触れ、そのまま背中のほうまで撫で上げると、身体中をぞわぞわとした感覚が這《は》い上がった。

「ひゃ、あっ……」

腰を支えられ、ちょうど琉司の顔のところに位置する胸を口に含まれた瞬間、「あぁん

「……」と自分でも信じられないほど甘い声を漏らした。

先端の尖った最も敏感な部分を舌で何度も何度も転がされ、その刺激に先がジンジンと熱くなる。

刺激されるとビクッと反応し、身体はそこから逃げようとするのに、次の瞬間にはまたそれが欲しくなる。もっと弄って欲しくてさらに胸を突き出すと、彼がそこを甘く噛《か》み、その痛気持ちいい刺激に夏南は一層甘い声を上げた。

「いい声だ。少し痛くするのが気持ちいいのか？　夏南は」

返事をする隙も与えられず、身体のあちこちに琉司がキスを降らせる。頬に、指先に、腕に甘い音と共に湿り気を残す。

優しい獣に捕食される。例えるならそんな感じだ。甘い牙に捕らえられ、逃れることができない。

どこに触れられても感じる。まるで身体のどこもかしこも性感帯になってしまったようだ。休む間もなく与えられ続ける甘い刺激に、夏南の身体の奥の熱が高まってとろりと溢《あふ》れ出るのが分かった。

身体の奥の一番深いところが、疼《うず》く。触れられているのはそこじゃないのに、身体中の感覚が全部そこに繋がっているようにじくじくとした熱さに奥が焦れて、どうしてか泣き出したいような気持ちになる。

「夏南。他にどうして欲しい？」

「……下、も……っ」

「下？　ああ、こっちも触ってほしいのか」

琉司が夏南の身体を支えながら、空いた右手で下着の中に手を滑り込ませた。その瞬間、彼の指と擦れた敏感なところが湿ったいやらしい音を立てる。

「凄いな。相変わらずトロトロで下着まで濡《ぬ》れてる」

「恥ずかし……」

「恥ずかしくないだろう。夏南が僕を欲しがってる証拠だ。違うか？」

「ち、がわな……っ」

「どんなふうに弄ったらいい？　夏南が自分で弄って見せて」

本当に意地悪だ——。

何度も身体を重ねて、どこをどんなふうに触れたら夏南が悦ぶか十分に知り尽くしている彼が、あえてこんなふうに訊くなんて。

それでも、一瞬拒んだ言葉とは裏腹に躊躇《ためら》いがちに動いた手がそこに辿《たど》り着いてしまうのは、琉司にもっと触れて欲しいから。浅いところだけじゃ足りない。琉司にもっともっと奥まで触れて欲しいからだ。

「こんなの……」

「大丈夫。僕しか見てない」

瞳の奥に深い碧《あお》を宿した琉司が夏南を見つめる。この深い碧は琉司が欲情している証拠だ。

　彼が自分を欲しがってくれていることを素直に嬉しいと思う。

　琉司が夏南をベッドの上へそっと横たえ、下着一枚になった。

「ほら、見せて」

「ん……っ」

　恥ずかしくて堪らない。けれど、琉司に触れてほしくて自分で自分の潤みに触れる。

「これ邪魔だな。脱ごうか、夏南」

　琉司が足を持ち上げ、器用に夏南の下着を取り去った。

　恥ずかしいと思いながらも、自分の下肢を食い入るように見つめる彼の視線にゾクゾクして身体が震える。琉司の視線に興奮を煽《あお》られ、指をゆっくりと抜き差しして、中をかき回すように動かしてはみるが、欲しいところまでは届かなくてもどかしさばかりが募る。

「浅いとこばかり弄って——ああ、そうか。奥まで届かないのか」

　夏南が恥ずかしさともどかしさに涙目になりながら頷くと、琉司がどこか嬉しそうに眉を上げ「僕の指が欲しい？」と訊ねた。

　普段あまり見ることがない少し意地悪な表情を浮かべ、夏南がどう答えるか試しているようにも見える。

　琉司の期待に応えるように、自分でもはしたないと思いながら縋《すが》るように懇願した。

「……欲しいです、っ。琉司さんのが」

そう言って、ここに——と示すように手のひらで琉司の視線を下肢に引き付ける。彼の視線を意識すると、ますます奥が疼いた。

「今日の夏南は凄く正直で一段と可愛いな」

琉司が夏南の手を包むようにその手を上から重ね、湿った浅いところを何度か擦って夏南の反応を窺いながらそっと中に指を差し入れた。

琉司の指の感触に、入り口がひくついたのが自分でも分かる。彼の指の感触に夏南の身体が悦んでいる。

「あ……ぁ、っん」

「相変わらず狭いな。凄い勢いで吸い付いてくる。これで届くか？」

訊ねられて、夏南は小さく首を振った。確かに自分の指よりは彼の長い指のほうが奥に届く。質量も増して快感自体は増幅しているのに、それでももっと奥の一番熱いところには到底届かなくて身体が焦れる。

「……や、だ。指じゃ、や」

指だけじゃ足りない。彼が欲しい。

もっと深いところへ、もっと圧倒的な質量で埋め尽くして欲しい。

「琉司さんのが、欲し……です」

彼を見つめると、琉司が夏南を見つめ堪らないというように目を細めた。

「知ってる？　そうやって縋るとき、凄く色っぽい顔してるの」

そう言った琉司が指で夏南の唇に触れた。

「もっとねだって。もっと僕を欲しがればいい」

「……欲しいです。琉司さんが、欲し……っ」

堪らなくなって夏南から唇を重ねた。

そのまま互いを貪るように唇を重ね、その激しさに唇がヒリヒリするほどだった。それでも欲しいという気持ちを止められなくて、必死に琉司を求めた。

「夏南。唇だけじゃなくて、他も舐《な》めて」

言われるまま琉司の頰や首筋に唇を這わせ、手のひらで彼の身体の造形を確かめるように触れる。

ごつごつとした身体は明らかに自分とは異種である男の身体だ。堅い筋肉に覆われたこの身体に抱かれることを、本能が望んでいる。

彼の厚い胸に、いくつかに割れた腹に、そろそろとした手つきで触れる。

その手を下へずらしていくと、彼の下着の中にはっきりとした欲情の証があった。

「触ってみても……いいですか？」

「夏南が嫌じゃないなら、どうぞ」

そっと手を伸ばしてそこに触れると、琉司がピクと眉を動かした。

「……ここ、凄く硬い」

男性のそこに触れるのも夏南にとって初めての経験だった。

「男の人のって、みんなこんな……」

何しろ他を知らないのだから比べようがないが、思ったよりずっと大きくてずっと硬い。初めて触れるその感触を確かめるようにそっと撫でると、琉司が何かに耐えるように大きく息を吐いた。

「今、夏南のせいでそんなふうになってるんだ。目の前にいる夏南が欲しくてね」

夏南自身が彼を欲して身体を熱くするように、琉司も自分を欲してその身体に変調を起こしているのだと思ったらなんだかとても嬉しかった。

「直接触れてみたいです……」

夏南が言うと、琉司は一瞬驚いた顔をしたが、返事の代わりに夏南の手を導いた。

下着越しに触れるのとはまた違った生々しさに少し戸惑ったものの、夏南がそっと包み込むように握ると彼のそこがピクと動いた。

「嫌じゃなければ、握ったまま動かしてみて」

「こ、こう……ですか?」

恐る恐る手を動かすと、琉司の顔が次第に紅潮し、薄く開いた口からかすかな吐息が漏れる。ゆっくりと手を動かし続けていると、そこが益々硬化していくのが夏南の手に伝わってくる。

——気持ちよさそう。こんな顔もするんだ。

発情中はただひたすら快感を追い求めることに必死で、彼の表情をこんなふうに見つめる余裕などない。自分がすることで、相手の表情がこんなふうに変わる。

彼にこんな表情をさせているのが自分なのだと思うと、何とも言えない気持ちが湧き上がってきた。

「これ、ヤバいな……夏南にされてると思うととんでもなく興奮する」

琉司が嬉しそうに微笑みながら、夏南の手をそこから離すようにしてそのままベッドに押さえつけた。

「もう限界……」

そう言って夏南の足を割り両手を頭の上で押さえつけたまま、片手で彼自身の昂《たかぶ》りを握るとゆっくりと夏南の熱い部分に押し当てた。

あんなに大きなものが自分の中に——？　ついさっき目にしたばかりのものが自分の身体の中に、と思うと戸惑いで一瞬身体が強張った。それに気付いたのかどうかは分からないが、琉司は自分の昂りを夏南の敏感な部分に擦り付けた。

「……あぁ」

ぬるりとしたものが互いに擦れる感触にゾクゾクとした感覚が這い上がる。

琉司も同じような感覚を味わっているのか「はぁ……」と短い吐息を漏らした。互いが擦れあう感触に、次第に快感が高まって来る。

「気持ち……い、い」

「夏南が気持ちいいならずっとこうしててあげたいけど、僕のほうが我慢できそうにな

い。夏南の中に入りたい」

その言葉に夏南も頷いた。

「琉司さんに、来て欲しいです……」

琉司はたとえ発情中であっても、夏南の身体への負担を気遣っているのか、性急に押し入るようなことはしない。けれど、今夜は違っていた。

「あんまり煽るな」

そう言うと、躊躇いもなく一気に奥まで夏南の身体を貫いた。

「……んっ、あぁん」

琉司さんが、入ってる——。私の中で、大きくなってる。

ずんと身体の奥に感じる質量と圧迫感に息苦しささえ感じるが、その質量が夏南の身体に実感させる。彼と深く繋がり合っていることを。

「凄い締め付け……ヤバいな、これ。夏南の中、堪らなく気持ちいいよ」

耳元で囁《ささや》く琉司の声に、身体が悦びに震えてくる。

「……私、も。気持ち……いい……っ」

最初はゆっくりだった琉司の律動が、次第に速度を増していく。身体の内側を抉《えぐ》るように擦られ、そこに確かな彼の存在を感じた。

荒々しく何度も何度も奥を突かれ、快感に頭が真っ白になる。

彼の熱にまるごと飲み込まれて、気持ちいいことしか考えられない。彼と繋がっているこの幸せしか考えられない。

ベッドの上で仰向けに身体を開いて彼を受け入れ、今度は身体を起こした彼の膝に跨《また》がるように座らされて下から突き上げられる。かと思えば、再びベッドに押し付けられ今度は後ろから攻められる。

こんなにも激しく抱き合っているのに、もっともっと欲しくなる。

快楽に……身体に溺れるとは、こういうことを言うのだろうか——。

身体がトロトロに溶けてなくなってしまうのではないかと思うほど、抱き合って果てて、また抱き合って。そんなことを何度も繰り返して気付くと窓の外が白み始めていた。

さすがにもう交わる体力は残っておらず、ベッドに横たわった夏南の身体を琉司がそっと包み込んだ。

「夏南……好きだよ」

そのシンプルな言葉がじんわりと心に沁《し》みこんでいく。

「私も、好きです」

結局、口から零れたのは、こんなありふれた言葉で。世界中にあるどんなたくさんの愛の言葉を探しても、これ以上の言葉は見つからないのかもしれない。

「琉司さんが……好きです」

ずっとこうしていたい——。

好きで好きで、愛おしくて愛おしくて、彼を想うだけで涙が溢れる。

もし、あのとき琉司に出会っていなければ、こんな幸せな気持ちを夏南は一生知ることがなかったかもしれない。

出会えてよかった。あのとき出会ったのが彼でよかった。

「一生……僕のそばにいて」

琉司が瞼《まぶた》を閉じながら、眠りにつく寸前にそう呟いた。心地よい疲労感にうっすらと微笑みを浮かべた幸せそうな寝顔に夏南も幸せな気持ちに包まれる。

「はい……ずっと傍にいます……」

そう小さく返事をして琉司に寄り添うと、夏南も静かに目を閉じた。

＊　　＊　　＊

それから季節が巡り、夏南と琉司が正式に結婚してからすでに二カ月が経っていた。

例年より早い梅雨の最中の貴重な晴れの日の午後。

夏南は朝から準備に追われていた。

「夏南ちゃん、身体平気？　あんま無理しないでよ、何かあったら俺兄さんに何言われるか」

「駆さん、大袈裟《おおげさ》。無理なんてしてない。むしろ絶好調です！」

夏南が力こぶを作って見せると、駆が白い歯を見せて笑った。

二カ月前、突然夏南の発情期が止まった。

止まったといっても、身体に問題があるわけではなく夏南にとっても高城家にとっても むしろ嬉しい知らせ――つまり夏南が琉司の子を身籠ったのだ。

現在妊娠四カ月。一般的には悪阻などで体調が優れない日が多い時期にあたるのだが、夏南はそれがほとんどなく、快適に過ごしている。当然のことながら、月に一度の発情期もなくなるため、夏南にとって思春期以後はじめて発情期と縁のない生活を満喫中なのだ。

元々、発情期のオメガとアルファの性交における妊娠率は極めて高く、これまでの発情期で夏南が妊娠しなかったのが不思議なくらいだった。

琉司がこれまで服用していた薬を止めてすぐ夏南の妊娠が発覚したということで、抵抗薬には発情中の性交における妊娠率を下げる効果があることも確認された。

もっと多くの症例を集めなければならないが、抵抗薬によって望まない妊娠を大幅に引き下げる効果も期待できるようになるのかもしれないということは、これからの社会にとっても有益である。


今日は、琉司の三十三歳の誕生日。

家族で彼の誕生日を祝いたいという夏南の希望を叶えるべく手を貸してくれているのが駆だ。夏南と義弟の駆とは変わらず良好な関係を築いている。

「てか、凄い豪華な料理だね！　朝から大変だったんじゃない？」

夏南が作った料理を手際よくテーブルに並べながら駆が訊ねた。

「うん。でも、こういうの好きだから苦にならないの」

「兄さん、喜ぶね」

「だといいな」

夏南が笑うと、駆が「絶対喜ぶって！」と夏南の肩をトンと叩いた。

その時、インターホンが鳴って夏南が顔を上げると、駆が手で自分がと合図をしてからモニターを見た。

「母さんだ。随分早いな」

もちろん、琉司の誕生祝ということで、正道や頼子も招待している。

正道に呼ばれて皆で食事をすることはあるが、彼らを自宅に招くのは初めてのことで、夏南も少し緊張している。

朝から張り切って豪華な料理を作ったのは、そんな二人に楽しんでもらうためでもある。

駆が玄関まで出迎えると、頼子が「お邪魔するわ」とつかつかと中に入って来るや否や、手にした大きな箱を夏南に差し出した。

「これ、夏南さんに。趣味に合うかは分からないけど、後々必要になるものだから。開けてみて頂戴」

「あ、ありがとうございます！」

夏南は頼子から丁寧にラッピングされた箱を受け取って、その箱を開けた。箱の中身は真っ白なベビー服と小物がセットになった夏南へのプレゼントだった。

「わぁ……！　可愛い。これ、お義母さまが？」

夏南が訊ねると「ええ、まぁ」と答えた頼子の少ない言葉を補うように駆が口を開いた。

「夏南ちゃんの妊娠分かってすぐだよ、母さんがこれ買ったの！　照れくさいのか、俺に渡しといてなんて言うからさー。今日呼ばれてるんだし、自分で渡せばって言ったんだ」

正直、二人の間にできた子について頼子がどういう感情を持っているかということは夏南も気になっていた。

駆に高城家を継がせたいと思っていた彼女が、駆にその意思が全くないことでそれを諦めたのか、未だ琉司が跡を継ぐことを快く思っていないのか、真意は分からないままだ。

琉司はあの日以来、そのことを口にすることはなかったし、もちろん頼子の方から何かいってくることもなかったと聞いている。

琉司のことだ、きっととっくに頼子を許している。

琉司にとって頼子は良い母親だったに違いない。彼が何も言わず、これまでと同じように頼子に接していることがなによりの証拠だ。

「嬉しいです！　大切に使わせていただきます」

夏南が礼を言うと、頼子が少しきまり悪そうに夏南を見たが、それはほんの一瞬の事で、

「で？　私は何を手伝ったらいいのかしら？」

と訊ねキッチンを覗いた。

「え？　いや、あの。お義母さまは、ソファにお掛けになっててください」

「あら。夏南さんこそ、少し休んだら？　いろいろ準備してくれてありがたいけど、あまり張り切りすぎると身体に障るわよ。この時期が一番不安定な時期なんだから」

「いや、でも……」

テーブルにほとんどの料理は用意しているし、準備という準備は終わっている。持て成す側の夏南が頼子に何かしてもらうのはやはり気が引ける。

「安定期に入るまでは、油断は禁物！」

そう言った頼子がキッチンに入るのを、夏南がおろおろしながら見つめていると、駆がそんな夏南を見て吹き出してから小声で囁いた。

「甘えとけば？　母さん、ああ見えて世話焼きで仕切り屋だから」

「でも……」

「夏南ちゃん大変かもね。赤ちゃん生まれたらもっとグイグイくるかもよ？」

「えー……」

本気とも冗談ともつかない駆の言葉に苦笑いを返しつつも、そんな生活も楽しいかもと夏南は思った。

琉司や駆を見ていれば分かる。頼子がどれほどの愛情をかけて二人を育てて来たのかということが。

まして、血の繋がりのない琉司をここまで立派に育て上げることなど、普通はなかなかできることではない。

いつだったか、琉司が言っていた。血の繋がりがない事実は知っていたが、自分に掛けられる愛情と駆に掛けられる愛情に、差を感じたことなど一度もなかったと。

もともととても愛情深い女性なのだろう。そんな人の手を借りてする子育ては学ぶべきことも多く、きっと楽しいに違いない。

その時、再びインターホンが鳴って、今度は兄の冬也と夫の智樹がやって来た。

冬也や智樹と顔を合わせるのは、夏南たちの結婚式以来だ。式当日は、バタバタしていて互いの家族同士ゆっくりできる時間もなかったため、この機会にと夏南が二人もこの場に招待していたのだ。

「お兄ちゃん、来てくれてありがとう！」

「こちらこそ。お招きありがとう」

「久しぶりだね、夏南ちゃん」

「智樹さんもありがとう！　今日、ひかりちゃんは？」

「親が見てくれてるよ。久しぶりにゆっくりしてくればって言ってくれてね」

兄夫婦の子供は女の子で、先月生まれたばかりだ。慣れない子育てに苦戦しているようだが、兄から智樹が協力的で助かると相変わらず仲睦まじい様子の報告は受けていた。

夏南にとっても二人の間に生まれた新しい命は、また一つ幸せが増えた嬉しいニュースだった。

そうしているうちに正道がやって来て、それから少し遅れて琉司が帰宅した。

「ただいま」

「おかえりなさい」

夏南が出迎えると、玄関先に並んだ靴を見て琉司が「さすがに賑《にぎ》やかだな」と微笑んだ。

「みんなお揃《そろ》いですよ」

と部屋の中に促すと、琉司がふいに夏南の頬に口づけた。

生活自体はこれまでと変わらないが、正式に結婚してからというもの琉司のスキンシップの甘さが増した気がする。もちろん、嬉しくないわけじゃないがやはり気恥ずかしい気持ちが先に立つ。

「もう！　駆さんたちに見られたら……」

「べつに構わないだろう」

琉司が答えた矢先に「玄関先でいちゃつかないでよねー」と駆が呆《あき》れ顔でリビングへ続くドアの隙間からこちらを覗いた。

「早く来なよ、主役なんだから」

駆に言われリビングに足を踏み入れると、先に部屋で寛いでいた正道と頼子が出迎えた。続いて琉司が兄夫婦と軽い挨拶を交わすのを、夏南は幸せな気持ちで眺めていた。

「なんか、新鮮だな。こういうの」

高城家はもともと祝い事に家族で集まるという習慣はあるが、こうして自宅でというのは琉司にとっても新鮮だったらしい。

「お料理も張り切って作ったんで温かいうちに食べましょう」

と、夏南が胸の前で手を合わせると
「まずは乾杯だな！」

そう答えた駆がキッチンに置いてあったグラスをテーブルのほうへ移動させた。頼子がシャンパンを開け、手際よく皆のグラスを満たし、夏南のグラスにだけジュースを注いだ。

「乾杯は、誰が？　やっぱ父さんか！」

駆がグラスを正道に渡すと、正道が笑いながら「琉司、誕生日おめでとう！」と、早速乾杯の音頭を取った。

とても、和やかな時間だった――。

正道も頼子も夏南の料理を褒めてくれたうえに「たまには家で集まるのも悪くないな」と終始笑顔でご機嫌な様子で、冬也や智樹とも和やかな会話を楽しんでいた。

時折、琉司と正道が仕事の話に夢中になり、それを駆や頼子に窘《たしな》められる場面が見受けられたりしたが、そんな姿を眺めるのは夏南にとっても楽しい時間であった。

好きな人が笑っていてくれて。

その人を愛する家族が笑っていてくれる。

そんなささやかなことが、とても幸せなことだと気付かされる。

素敵な誕生パーティーだった。

皆が帰るのをエントランスまで見送ってから、琉司と二人で部屋に戻った。

夕方少し雨が降っていたせいか、エレベーターから見下ろす窓のところどころに雨粒が残っていて、遠くの夜景が滲《にじ》んで見えた。

リビングに戻ると、さっきまでここに皆がいた気配の名残があった。駆や頼子があらかた部屋の中を片付けて帰ってくれたが、シンクに残ったグラスを片付けようとキッチンに入ると琉司に「片付けはいいから」と手招きされた。

夏南は手にしたグラスを元の場所に戻し、琉司が立っている窓際に並んで窓の外を見つめた。琉司がそんな夏南の手を取って、静かに指を絡めた。

「今日、楽しかったですか……？」

夏南が訊ねると、琉司が大きく頷いた。

「楽しかった。ありがとう」

「……良かった！」

この一年いろいろなことが夏南の身に起こり、その生活や価値観は一変した。

琉司に出会って、人を好きになることや女としての悦び、他にも様々な感情を知った。

「不思議ですね。一年前の今頃は、まだ琉司さんに出会ってさえいなかったのに」

「本当、不思議だな。あの頃は、こんなふうに自分が誰かと並んでいることが想像もできなかった」

琉司自身もこの一年の出来事を思い返したように懐かしそうな表情を浮かべた。

「今思えば――契約なんてとんでもないことを夏南に提案したもんだが、夏南がそれを受けてくれて本当に良かった」

「ふふ……言葉は優しかったですけど、琉司さん有無を言わせない迫力ありましたよ」

「ああ。悠長なこと言ってられるのか――とか。いま思えば、あれは酷かったな」

「でも、そのおかげで、いま私は琉司さんの隣にいられてる」

あの時、もし彼の誘いを断っていたら、きっと今自分は彼の隣にいないだろう。

そう考えると、人との出会いの一瞬一瞬。何を言うか、どう動くか。

ほんの少しのタイミングの違いで、全く別の人生が待ち受けているということを身を持って体験したような気がする。

「僕もあの時、夏南と出会ってなければ、こんな幸せな気持ちを知らずに過ごしていた。あれは、運命の出会いだった――そう思っている」

琉司の言葉に夏南も頷いた。

「大好きです、琉司さん」

ふいに口から出た言葉に、琉司が少し驚いた顔をし、夏南も自分ではっとして、急に恥ずかしくなって顔を覆った。

「やだ……私、無意識に」

「はは。無意識で言葉に出ちゃうくらい、僕のことが好きってことか?」

琉司がさらりと言った言葉に、夏南は素直に頷いた。

「——愛しい、ってこういう気持ちを言うんですかね」

好きだと言う言葉だけじゃなにか物足りない。

「琉司さんのことも、お腹の中の赤ちゃんのことも。考えただけで、温かい気持ちになるんです。幸せな気持ちになるんです」

琉司に対する気持ちと、新しい命への気持ちとはきっと同じではないけれど、ただただ大切で誰よりも大切にしたいと思う。

「愛しい——か。凄くいい響きだな」

そう言って夏南の手を琉司が強く握って微笑んだ。

とても、綺麗な笑顔だ。優しくて温かくて、まるで夏南の全てを包み込んでくれるような柔らかな笑顔。彼の笑顔を見ているだけで幸せな気持ちになる。

——愛しい。

やはり、それ以上の言葉が見つからない。

オメガに生まれたことで、辛い思いをしたこともたくさんあった。

けれど、そのすべての事は彼に出会うためだった——そんな気がする。

「愛してるよ、夏南。これからもずっと」

琉司が初めて会ったときと変わらない、美しく優しい笑顔で言った。

恋をした、この人に。愛を教えて貰った。

夏南が繋いだ手にほんの少し力を込め彼に歩み寄ると、ふと視界に影が落ち、欲しかった彼の唇が甘く夏南の唇に降って来た。

番外編　婚前旅行

琉司の身体についての真相を知り、夏南は心から安堵《あんど》していた。

彼が何か重い病気なのかもしれないと危惧していた夏南にとって、頼子や彼の叔父から聞いた真実はこれ以上ないほど嬉《うれ》しいことだった。

＊　　＊　　＊

それから少しして、立て込んでいた琉司の仕事がようやく一段落した。

「たまには二人でゆっくりしないか」と彼に連れて来られたところは温泉地として有名な地方の宿だった。

趣のある老舗旅館やホテルが立ち並ぶ温泉街の奥にまだ新しくそれぞれデザインの異なる古民家風の客室棟が複数立ち並んでいて、夏南たちは一番奥の棟に案内された。

「あの……ここに、泊まるんですか？」

客室に入るなり思わず夏南が訊《たず》ねたのは、想像以上の部屋の広さに驚いたからだ。

「ああ、そうだよ。一棟まるごと貸し切りの宿なんだ。ここなら二人でゆっくりできる」

世間に顔を知られているということもあり、ただでさえ目立つ容姿で注目を集めてしまう琉司にとって人目を気にせず過ごせる貸し切りの宿は好条件なのかもしれない。

案内をしてくれていた仲居がひと通りの説明を終えてその場を去ると、琉司が先に動いた。あとに続くと、入ってすぐのリビングダイニングには大きな囲炉裏があり、開放感のある窓からは手入れされた美しい庭園が見えた。

「夏南。こっち」

促された先には寝室があり、大きく豪華なベッドの上に星を見上げる天窓まで付いている。夏南が部屋の豪華さに圧倒されていると、琉司が夏南の手を引いた。手を引かれたまあついていくと、寝室の横には古民家風の造りの宿に似合う広い檜《ひのき》の風呂と大きな洗面台があった。

「風呂はここと奥に露天がある。あとで一緒に入ろう」

「えっ？　い、一緒にですか？」

「それも込みで人目を気にしなくていいこの宿を選んだんだ。気に入った？」

琉司が得意げな笑みを浮かべた。

夏南はこの温泉旅館に見覚えがあった。何カ月か前にたまたま彼とテレビを見ていた時に特集されていた有名旅館だ。

「琉司さん、ここって……まえに」

「ああ……行ってみたいと言ってただろう？」

テレビを見ながら本当に何気なく呟《つぶや》いた夏南の言葉を彼は覚えていてくれたのだ。何カ月も先まで予約が一杯だという人気の宿を苦労して予約してくれたのだと思うとますます嬉しい気持ちになった。

「夢みたい……」

「大袈裟《おおげさ》だな。夕食までかなり時間があるから、少し休んだら外を歩いてみないか」

琉司の提案に、夏南は目を輝かせた。

「楽しそうですね！」

ここに来る途中に石段街があり、美味しそうな食事処やたくさんの土産物屋が立ち並んでいたのを思い出した。琉司の言ったように少し部屋で休んだあと、何枚か用意されたデザインの違う浴衣の中から、互いに好みのものに着替えて散歩に出た。

「夏南」

琉司がこちらに差し出した手をそっと握り返す。彼のエスコートに少しは慣れたつもりでいたのに、普段とは違った特別な場所で、見慣れない浴衣姿の琉司にドキドキしてしまう。普段のスーツ姿やラフな私服も良いが、少し異国の血が入った彼が着こなす浴衣もまた新鮮だ。

立ち並ぶ土産物屋で買い物をしながら辺りを散策することもまた新鮮だった。途中足湯に立ち寄ったあと、茶屋の軒先のベンチに座って名物のアイスクリームを食べていると、琉司が夏南を見て小さく笑った。

「え？　なんですか？」

「口元ついてる」

「やだ。どこですか？」

夏南がアイスを手に持ったまま口元を指で探ると、琉司が笑いながら夏南の唇に指で触れた。そのまま琉司の顔が近づいたかと思うと舌で夏南の口元を舐《な》め、驚いた夏南は慌てて彼の胸を押し返した。

「琉司さんっ……！　ここ、外ですからっ」

「はは。忘れてた」

近頃、彼のスキンシップが以前より大胆になっている気がする。

本来クールな彼が、夏南を自分のものだと周りに誇示するように触れるようになった。

〝契約関係〟だった頃のポーズとは異なる触れ方にドキドキし過ぎて、心臓がいくつあってももちそうもない。

日が傾きかけると同時に風が出てきた。

「そろそろ戻りますか？　お夕食、六時でしたよね？」

「そうだな。夕食のまえに部屋の風呂にも入りたい」

「楽しみですね」

「僕と一緒に入るのが？」

少し意地悪で甘い視線を向けてくる彼に夏南の中で敗北感が募る。

「お夕食が……ですっ！」

夏南をからかって反応を楽しむために敢えてしているのだと分かっていても、視線に捕まっただけで狼狽《うろた》えるのはいつだって夏南のほうだ。

部屋に戻ると、縁側から見える外の景色が夕焼けに染まっていた。

縁側から眺める景色の美しさも確かこの客室の売りであったのを思い出した。

「琉司さん、見て。すごく綺麗《きれい》……」

そう感嘆の声を漏らした夏南の後ろに寄り添うように琉司が立って、夏南の身体をそっと包んだ。触れられるとドキドキするが、それと同じくらい彼の体温が心地よくて安心する。

「素敵なところに連れて来てくれてありがとうございます。私、嬉しいです」

夏南が礼を言うと琉司が小さく笑った。

「はは。もうお礼？　お楽しみの本番はこれからだっていうのに。まずは、風呂にでも入る？」

そう言った琉司が夏南の項にそっと唇を押し当て、大きく息を吸い込んだ。

「もう感じるよ、夏南のフェロモン」

「え？　発情期はまだ……」

「でも、近いだろ？　薬を止めてから、嗅覚が鋭くなった気がする。きみの中に匂い立つ発情の兆しが——僕にはもう分かる」

　琉司が以前夏南に付けた『番』の証である項の噛《か》み痕を、ゆっくりと舌で舐め上げた。熱く絡みつくような琉司の舌の感触に夏南の身体がぞくぞくと震え、その刺激に膝から崩れ落ちそうになるのを彼の力強い腕に支えられた。

「この程度の刺激で、そんなふうじゃ困るな。今夜は心置きなく二人の時間を堪能するつもりでいるのに」

　そう言った琉司の手が夏南の浴衣の帯に掛かった。結んでいた帯がするすると解かれて足元に落ち、同時に浴衣の胸の合わせ目の隙間から琉司の手が滑り込んできて、ブラの上から夏南の胸に触れた。

「あの……琉司さん？」

　制止の意味で呼び掛けた声もほとんど意味はなく、琉司の指がやがてブラの隙間から直接肌に触れ、胸の先端を指で捏《こ》ねたりなでたりを繰り返すたびに身体の奥の方にじくじくとした熱が湧き上がってきて、夏南は堪らず熱い息を零した。

「……もどかしそうな顔してる」

「琉司さんが……意地悪な触れ方するからです」

「意地悪なんて心外だな。夏南に触れたくて朝から我慢してた僕の気にもなって欲しい。言ったろう？　前よりきみのフェロモンに敏感になってるって。夜まで待とうと思ったが、これ以上の我慢は無理そうだ」

そう言った琉司がこれ以上は堪えきれないというように、強引に夏南の唇を覆った。

――伝わって来る。

彼の低く甘い声や息遣い、抱きしめるその手や身体が全身で夏南を欲しがっているのが。夏南だって同じだ。琉司に触れられるだけで発情期でもないのに身体中が熱くなる。

このまま流されてしまいたいとも思ったが、夏南はそっと琉司の身体を押し返した。

「あの……琉司さん。待って……」

夏南が押し返した身体を、逃がさないとでもいうように再び琉司が抑えつけた。

「どうして？　夏南は僕に抱かれたくない？」

「そ、そういうわけじゃ……」

琉司が自分を欲しがってくれているように、夏南だって彼が欲しくて堪らない。けれど、それは今すぐでなくてもいい。

「琉司さん言ってたじゃないですか。お楽しみの本番はこれからだって……。温泉もお料理もせっかくだから楽しみたいですし。それに――」

そこまで口に出しておいて、夏南は次の言葉を躊躇《ためら》った。

「それに？」

琉司が先を促すように優しく訊ねる。決して急かすわけではなく、夏南の意図をちゃんと理解したいという彼の表情に、夏南は躊躇いながらも言葉を続けた。

「……急いで繋《つな》がるだけ、みたいなのは嫌です」

好きだから、彼のことが欲しくて欲しくて堪らないからこそ――時間を掛けて深くじっくり愛して欲しい。

「それは――あとでゆっくり抱いて欲しいって意味？」

琉司が含みを持たせた笑みを浮かべながら訊ねた。

また、意地悪な聞き方をする。きっと夏南の気持ちなんてお見通しのくせに、敢えてこんなふうに聞くなんて。どう答えたらいいのか分からなくなる。

「じゃあ、いまは少し触れるだけ。それくらい許してくれるだろう？　僕は夏南のお願いを聞いて夜まで我慢するんだ」

そう言った琉司が再び夏南の身体を抱き寄せた。胸元の合わせ目から滑り込ませていた手を引き抜き、今度は腰の合わせ目から浴衣の中に差し入れる。夏南の下着のレースを指で何度かなぞったあと、そっと指を下着の中に忍ばせた。

「――っ」

「あとで、って言ったのに。夏南のここ、もう僕を待ってるみたいだ」

彼の指が、夏南の疼《うず》いた部分に触れた。指の先で敏感な部分を少し押さえたられただけで、身体の奥から堪えきれない熱が溢《あふ》れる。

「そこ……ダメっ」

「大丈夫。夏南が気持ちいいって感じるとこ、ちょっと触れるだけだ」

琉司は少しのつもりなのかもしれないが、彼は夏南の身体の悦いところを既に知り尽くしている。最初はそっと触れ、徐々にその刺激が増えると、堪えきれなくなった夏南の口から甘い吐息が漏れた。

「琉司さ……んっ」

「夏南。もっと僕の名前呼んで」

「琉司、さ……」

「もっと」

琉司に言われるまま何度も彼の名前を呼ぶと、彼が自分でそうさせたくせに酷く照れくさそうな、それでいて嬉しそうな表情を浮かべた。

琉司がそっと夏南を抱き寄せ、夏南もそんな彼に応えるように彼の腕に手を添えた。温かな彼の体温に安心するのと同時に、満たされる幸福感に涙が出そうになる。

「琉司さん」

あんなに呼ぶのに照れくさかった名前が、いつの間にか自然と呼べるようになっている。

「夏南」

好きな人が、愛おしそうに自分の名前を呼ぶ。なんて幸せな響きだろう――。

あとがき

このたび蜜夢文庫さんから『甘い誤算　特異体質の御曹司は運命のつがいを本能で愛す』を発売していただくことになりました涼暮つきです。

こちらの作品は二〇一九年の夏にパブリッシングリンクさんより電子書籍として発売していただいたものに書き下ろしの番外編を加えた、デビュー三年目にして初めての文庫化作品となります。

作品を書こうと思ったきっかけは、私がもともとボーイズラブ作品を手掛けていたことにあります（デビュー作はボーイズラブ作品でした）。ボーイズラブの中でも人気を確立しているオメガバースという特殊な世界観に以前から興味があり、いつか自分の手で書けたらいいなと考えていたんです。

男女の性の他に、アルファ、ベータ、オメガという三種の属性と、動物のように発情期があるという独特の世界観をティーンズラブとして書くのもおもしろいかもしれないと思ったのが始まりでした。

とはいえ、私自身がティーンズラブに関して初心者なので、アイデアとしてどうなのか分からず、担当さんにティーンズラブのオメガバースはどうかとお伺いしたところ、それで行きましょう！とすぐにお返事いただけたのがとても嬉しかったのを覚えています。

初めて手掛けたティーンズラブ作品では同年代の恋のお話を書いていたので、今回は少しだけ歳の差のある恋のお話を書きたいと考えていたんです。

控えめだけれど芯のしっかりしたヒロインと、大人の落ち着きと包容力を兼ね備えたヒーローのイメージはすぐに固まりました。

ヒロインのキャラクターのビジュアルにこだわった点は、ヒロインのショートヘアです。私がショートヘアの女の子が好きなので、表紙イラストで可愛いショートヘアのヒロインが見たかったからです。実際にキャラデザインをいただいたときは、ヒロインの可憐さとヒーローのカッコよさに身悶えました（笑）。

作品を書くにあたって苦労した点は、オメガバースの世界観をどう分かりやすく伝えるかということでした。初めてその世界観に触れる読者さまにも楽しんでいただけるように難しい言葉を避けて書くことを意識しました。

今回、ラブシーンにも力を入れました。オメガのフェロモンによって、発情を促されるアルファ。互いの属性によって惹かれ合う夏南と琉司のラブシーンを、いかに甘く艶っぽく書けるかというのが私の中での課題でした。

私は正直ラブシーンがあまり得意ではないので、実際、甘く艶っぽく書けていたかは分かりませんが、二人が初めは身体だけの関係から次第に惹かれ合い、ゆっくりと愛を育んでいく過程を楽しんでいただけたら嬉しく思います。

文庫版のイラストは人気イラストレーターの天路ゆうつづさんに手掛けていただきました。華やかで美しい表紙イラストや艶と色気溢れる素敵な挿絵とともに作品を楽しんでいただけたら嬉しいです。

最後になりますが、この作品を出版していただくにあたりご尽力いただきましたすべての皆様、本当にありがとうございました。この場を借りて感謝申し上げます。

なお、本作品はコミカライズの企画も進行中です。また良いお知らせをできる日が来ることを私もとても楽しみにしております。

本書は、電子書籍レーベル「らぶドロップス」より発売された電子書籍『甘い誤算　特異体質の御曹司は初心なオメガを独占する』を元に、加筆・修正したものです。

★著者・イラストレーターへのファンレターやプレゼントにつきまして★
著者・イラストレーターへのファンレターやプレゼントは、下記の住所にお送りください。いただいたお手紙やプレゼントは、できるだけ早く著作者にお送りしておりますが、状況によって時間が掛かる場合があります。生ものや賞味期限の短い食べ物をご送付いただきますと著者様にお届けできない場合がございますので、何卒ご理解ください。
送り先
〒160-0004　東京都新宿区四谷 3-14-1　UUR 四谷三丁目ビル２階
(株)パブリッシングリンク
蜜夢文庫 編集部
○○（著者・イラストレーターのお名前）様

甘い誤算
特異体質の御曹司は運命のつがいを本能で愛す

２０２０年５月２９日　初版第一刷発行

著……涼暮つき
画……天路ゆうつづ
編集……株式会社パブリッシングリンク
ブックデザイン……しおざわりな
（ムシカゴグラフィクス）
本文ＤＴＰ……ＩＤＲ

発行人……後藤明信
発行……株式会社竹書房
〒102-0072　東京都千代田区飯田橋２－７－３
電話　03-3264-1576（代表）
03-3234-6208（編集）
http://www.takeshobo.co.jp
印刷・製本……中央精版印刷株式会社

ISBN978-4-8019-2277-8　C0193
Printed in JAPAN